Lalique PAR LALIQUE

ISBN 2 901 144-01-2

Lalique PAR LALIQUE

EDIPOP
LAUSANNE

Introduction

Il est malaisé de parler de l'œuvre d'un créateur. Même et peut-être plus spécialement, s'il s'agit de son propre père ou grand-père, cette œuvre étant déjà en soi la traduction de sa personnalité.

C'est pourquoi, descendants directs de René LALIQUE, nous proposons à votre attention une histoire en images qui constituent en elles-mêmes l'histoire d'un homme dont la création était synonyme de vie.

Cette création se perpétue aujourd'hui entre nos mains. Nous nous efforçons de la rendre digne de son illustre origine.

C'est donc à la mémoire de René LALIQUE que nous dédions ce livre dont les données ont été recueillies parmi les souvenirs de la famille.

Marc et Marie-Claude LALIQUE

Introduction

It is far from easy to speak about the work of an artist even and may be specially if he is one's own father or grand father, his work being already the translation of his personality.

It is why being the direct descendants of Rene LALIQUE, we submit to you an illustrated tale, the story of a man for whom creation was synonymous of life.

This creation is perpetuated today by us. We endeavour to make it worthy of its distinguished origin.

It is therefore to the memory of Rene LALIQUE that we dedicate this book, from which the data have been gathered among the family's documents.

Marc and Marie-Claude LALIQUE

RENÉ LALIQUE

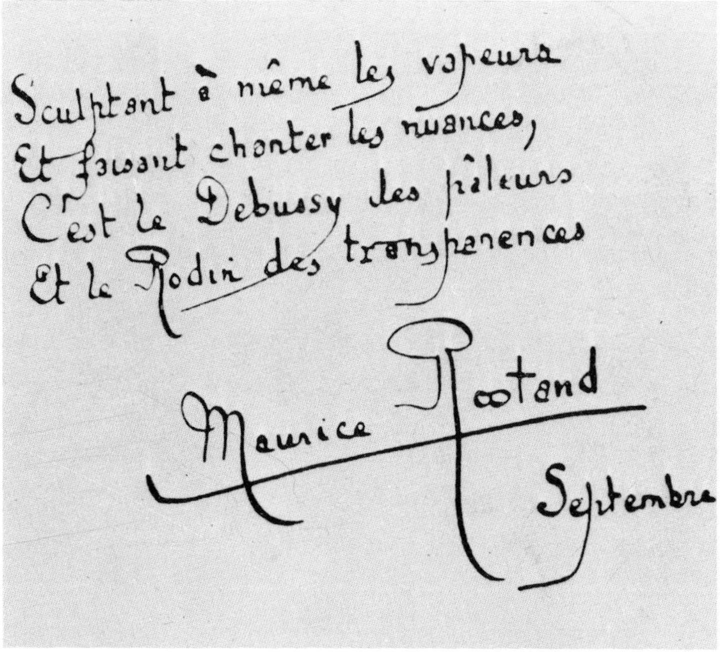

Sculptant à même les vapeurs
Et faisant chanter les nuances,
C'est le Debussy des pâleurs
Et le Rodin des transparences

Maurice Rostand

Septembre

Projet de la couverture de
CHANTECLAIR d'Edmond ROSTAND
(1ʳᵉ édition), 7 février 1910

Preliminary cover design of book
"CHANTECLAIR" by Edmond ROSTAND
(first edition), 7th of February 1910.

« Après la guerre, nos enfants cherchaient en vain — ils cherchent encore — les billes de verre. Pour contenter ma fille, j'écrivis un jour au maître du feu et du verre, au créateur de la fontaine merveilleuse, à LALIQUE enfin, et je lui demandai : « Pourquoi nos enfants n'ont-ils plus leurs billes de verre ? » LALIQUE ne me donna point d'explications. Quelques semaines après, je reçus, roses, rouges, opalines, bleues, comme la flamme qui les vit naître, vertes comme le raisin, comme la vague et comme l'absinthe argentées, cent billes de LALIQUE. »

COLETTE.
Extrait du « Voyage égoïste ». Chapitre « Les Joyaux menacés » 1928.
J. Ferenczi & Fils Éditeurs.

"After the war, children looked in vain for glass marbles—and are still looking... To please my daughter I wrote one day to the Master of fire and glass, designer of the marvelous fountain, in short—to LALIQUE and I asked him: "Why don't our children have their glass marbles anymore?"
Lalique gave no explanation. A few weeks later I received a hundred marbles from LALIQUE... they were pink, red, opalescent, blue like the flame from which they were borned, green as grapes, as the wave or the silvery absinthe."

COLETTE,
From "Voyage égoïste". Chapter "Les joyaux menacés" 1928.
J. Ferenczi & Fils Publishers.

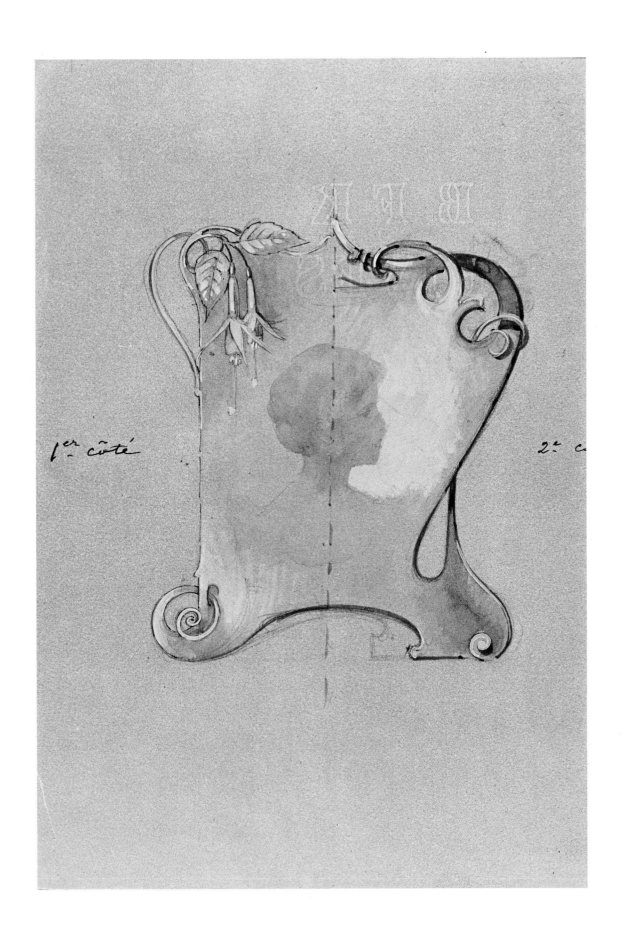

1er côté   2e c

René Lalique und Frau.

Hofphotograph E. Bieber

RENÉ LALIQUE

Le XIXe siècle peut être considéré, à juste titre, comme celui de la Seconde Renaissance de la joaillerie. A cette époque, la France compte, par centaines, ciseleurs, graveurs, sertisseurs, bijoutiers, joailliers.

Les noms célèbres de Boivin, Boucheron, Cartier, Fouquet, Lalique, sont associés à des réalisations pouvant être comparées, compte tenu de l'époque, à celles d'un Benvenuto Cellini dont l'ensemble des travaux accomplis au XVIe siècle lui valut l'entrée à la cour de François Ier.

René Lalique, lui aussi, par ses créations, attire l'admiration des cours royales et du monde du théâtre, notamment Sarah Bernhardt dont il fit le portrait. De nombreuses autres femmes de l'époque rêvent de posséder un de ces bijoux étourdissants — fruit de l'imagination sans limite d'un artiste tout à la fois dessinateur, technicien et créateur.

Il utilise l'émail, le verre, les pierres dures alliées aux gemmes les plus précieuses ; puise son inspiration autant dans la légende et la mythologie que dans la flore et la faune qui lui sont familières depuis son enfance ; il crée ainsi des œuvres d'une telle perfection et d'une telle richesse imaginative que leur finalité s'efface devant leur essence purement artistique.

Dès son plus jeune âge, l'amour du dessin et de la nature vont conditionner toute sa vie. Il exprime cet amour tout au long de sa carrière sous les formes les plus diverses.

Il naît en 1860, à Aÿ, en Champagne, pays d'origine de sa mère. Peu après, ses parents quittent la Marne et il ne revient dans son pays que de temps à autre, aux périodes d'été. Ces courts séjours sont une source de joies inépuisables et l'occasion pour ce jeune garçon de communier avec la nature dont il deviendra plus tard l'interprète le plus talentueux, le plus fidèle et le plus humble.

Les études ne réussissent pas à le détourner de son unique passion. A douze ans il obtient un premier prix de dessin au collège Turgot où il a la chance de travailler avec le professeur Lequien père qui décèle en lui le futur artiste. Trois ans plus tard, fait exceptionnel, il exécute des gouaches sur ivoire et les vend à des négociants d'Épernay.

Son père décède en 1876. Sur le conseil de sa mère, il entre alors comme apprenti chez Louis Aucoc, orfèvre renommé. Son tempérament et son imagination d'artiste trouvent leur épanouissement dans la voie qu'il s'est choisie, la joaillerie. Un apprentissage de deux années lui apportera la technique indispensable pour créer des bijoux qu'il aura la joie de voir exécuter sur place. Très pris, il doit renoncer aux cours des Arts Décoratifs.

Plus tard, il quitte l'atelier Aucoc où il avait fait ses premières armes et part pour l'Angleterre où il séjournera deux ans sans pour autant négliger le dessin.

A son retour, un de ses parents l'accueille dans son atelier. Mais il n'y trouve pas l'influx nécessaire à sa progression. Il fait alors un stage chez M. Petit & Fils, bijoutier de la rue Chabanais. Finalement, ne pouvant supporter de contrarier son imagination créatrice, il préfère s'établir à son compte.

Cette décision est le point de départ de sa carrière. Enfin libre, il travaille non seulement pour une clientèle privée dont le champ s'agrandit sans cesse mais aussi pour les bijoutiers alors en renom. Son talent s'exprime dans les formes les plus diverses : de la gouache au papier peint, des étoffes à la sculpture, il n'en néglige aucune.

En 1884, la chance lui sourit. Une exposition des Arts Industriels adjointe à celle des Diamants de la Couronne au Louvre, lui permet de toucher pour la première fois le grand public par la présentation de ses dessins de bijoux. C'est la consécration. Les plus grands professionnels le reconnaissent comme l'un des leurs.

L'année suivante, René Lalique a la possibilité d'acheter un atelier de bijouterie situé place Gaillon. D'abord il hésite, mais la sagesse s'alliant à la hardiesse, il finit par accepter. La voie de l'indépendance créative absolue lui est alors ouverte. Tout ce que la nature, la vie et vingt-cinq années d'expérience lui ont apporté peut s'exprimer sans contrainte. Secondé par des ouvriers d'une habileté extrême, eux-mêmes guidés par un collaborateur de grande valeur (Briançon), René Lalique donne libre cours à son imagination étendant ses recherches aux matériaux les plus divers jusqu'alors peu ou jamais utilisés en joaillerie.

Le verre éveille alors son intérêt et par sa malléabilité lui fait entrevoir des possibilités nouvelles. Au 20 de la rue Thérèse, où il emménage en 1890 il installe des fours qui lui permettront pendant deux ans d'étudier sur place les différentes techniques de cette nouvelle matière. (Voir le chapître René Lalique et le verre). Plus spacieux que le précédent, ce dernier local est aménagé par René Lalique lui-même avec le concours de deux membres de sa famille. Il en revêt les murs et les plafonds de fresques, de sculptures, de motifs en relief. Il dessine des meubles correspondant à la fois aux impératifs fonctionnels et à ses exigences de décorateur. Entouré alors des éléments qu'il aime et se sentant à l'aise dans ce cadre personnalisé, il crée avec son collaborateur Briançon, des pièces de joaillerie si personnelles, si inimitables qu'elles restent et resteront au cours des siècles à venir la marque non seulement du talent d'un artiste hors du commun mais d'une époque.

Depuis le vol d'hirondelles de la parure acquise par Boucheron en 1887, de nombreux autres thèmes furent exploités : coqs à la crête orgueilleuse, butinantes abeilles, serpents ondulants, cygnes majestueux, paons aux couleurs chatoyantes, scarabées aux reflets d'or, papillons, fleurs, fruits souvent mêlés à de pulpeuses créatures à la chevelure longue et abondante, couvrant ou découvrant une nudité sensuelle ou hiératique. Il concrétise ces thèmes par des pendentifs, bracelets, colliers, devants de corsage et peignes de corne — matière qui fut employée pour la première fois en bijouterie.

En 1894, ce ne sont plus des dessins mais des créations achevées qu'il envoie au Salon de la Société des Artistes Français. Parmi celles-ci, un bas-relief en ivoire représentant une des scènes des Walkyries, traité avec maîtrise et une précision aiguë des détails obtenue par un procédé nouveau en bijouterie — procédé qui ne resta pas longtemps le secret de René Lalique et qui sera adopté par la majorité de ses concurrents.

Jusqu'en 1895, René Lalique n'obtient qu'un succès modéré auprès des joailliers en renom qui, bien qu'appréciant ses œuvres, hésitent à les lui acheter craignant de ne pas les voir favorablement accueillies par leur clientèle. Il a alors l'idée de les soumettre directement à l'opinion publique en présentant à la Société des Artistes Français une série de bijoux dont un devant de corsage au centre duquel, superbe dans son nu intégral, se tient une créature de rêve. Cette représentation audacieuse, largement admise au XVe et XVIe siècles ne l'est plus en cette fin d'époque romantique. De tous côtés, les critiques fusent, tantôt acerbes, tantôt élogieuses. René Lalique n'en obtient pas moins la troisième médaille.

Il reçoit sa deuxième médaille au Salon de 1896 où il fait une présentation importante comprenant entre autres, le premier bracelet de corne jamais réalisé. La même année, son talent lui vaut, outre une médaille à l'Exposition de Bruxelles, la Croix de Chevalier de la Légion d'Honneur.

Sa réputation grandissante atteint toutes les sphères, du collectionneur averti aux critiques d'art les plus connus. Citons en particulier le collectionneur Calouste Gulbenkian qui léguera au musée portant son nom à Lisbonne la merveilleuse collection de bijoux Lalique amassée au cours de sa vie. L'obscur créateur en bijoux du début est porté au pinacle et, qualifié de génial, il est considéré comme l'égal des plus fameux artistes passés et présents.

L'Exposition de 1900 voit sa consécration définitive et la présentation de ses œuvres est un grand événement artistique. Le Grand Prix et la Rosette de la Légion d'Honneur viennent couronner ce succès. Sa renommée d'artiste s'étend au monde entier grâce à de nombreuses expositions à l'étranger.

En 1805, il ouvre son propre magasin place Vendôme. Architecte autant que sculpteur, il fait construire la même année, au 40 cours la Reine, un immeuble aussi révolutionnaire pour l'époque que l'étaient ses bijoux. Originalité et hardiesse qualifient bien cet ensemble architectural aux lignes sobres agrémentées d'une décoration sur le thème du pin et du sapin. Les motifs entrelacés des panneaux de verre de la porte principale expriment, dans les moindres détails, la sensibilité et l'élégance de l'artiste. Dans cet immeuble, il installe ses ateliers, son appartement et son studio de travail, aujourd'hui habité par sa petite-fille Marie-Claude. Il y vivra jusqu'à sa mort en 1945. Peu de temps avant, il a la joie ultime d'apprendre par son fils Marc, la libération de l'usine qu'il avait installée en Alsace à Wingen-sur-Moder, en 1921.

René Lalique eut deux enfants : Suzanne Lalique, née en 1892, Marc Lalique né en 1900. Imprégnés tous deux de la même sensibilité artistique que leur père, ils ont hérité en outre de son sens créateur. Dignes du talent paternel, ils suivront deux voies différentes avec succès et apporteront leur contribution personnelle à la renommée de Lalique.

Peintre et décorateur, Suzanne Lalique se fait connaître dans les années 1936-1937, par des peintures et paravents inspirés de natures mortes. Elle entre à la Comédie Française et dirige l'atelier de décors et costumes. Elle y crée notamment le décor du «Bourgeois Gentilhomme» de Molière, de «Port-Royal» de Montherlant et de «A chacun sa Vérité» de Pirandello. Ces décors étonnants par leur richesse d'expression et leur parfaite adaptation au sujet, laissent à ceux qui ont eu la chance de les voir, un souvenir impérissable. Retirée de la Comédie Française, Suzanne Lalique y est encore souvent appelée en consultation. Coloriste de talent, elle a remporté un grand succès en exposant récemment ses toiles dans une galerie parisienne.

RENE LALIQUE

The 19th century can be rightly considered as the Second Renaissance of jewelry. During this period, chiselers, engravers, jewelers were in great number in France. Works of people such as Boivin, Boucheron, Cartier, Fouquet, Lalique could be compared to those of a Benvenuto Cellini whose creations brought him the honors of King François Ier.

Rene Lalique's creations attracted the admiration of the royal courts as well as the stage stars' — among them, Sarah Bernhardt whose portrait was made by him. Many women of the time ambitionned to possess one of those stunning pieces of jewelry born from the limitless imagination of Rene Lalique, who was alternatively creator, technician and decorator.

Making use of enamel, glass, hard and precious stones, drawing his inspiration from legend or mythology as well as from flora and fauna — quite familiar to him since his childhood — he created such imaginative and perfect pieces that they were more related to works of art than submitted to their final use.

From his first years on, his love for drawing and for nature have conditionned his whole life. All along his career he expressed this feeling under the most diversified aspects.

He was born in 1860 in Aÿ, in the Champagne district, where his mother came from. His parents moved away soon after, but every Summer, he returned to his birth place from time to time. These short stays were for him an endless source of inspiration and the occasion for this young fellow to communiate with the beautiful surrounding countryside. He was to become later its most talented, faithful interpreter through the deep and humble respect he had for nature.

He would not let his studies divert him from his major passion. At 12 he won the highest design award at Turgot College where he was lucky enough to work under Lequien 's guidance (the father) who had sensed the artist he would become later. Three years later he realized the rare performance of selling some water colours he had made on ivory to dealers in Epernay.

After his father passed away in 1876, Rene Lalique, on his mother's advice, entered as an apprentice at Louis Aucoc, a renowned silversmith. This choice lead his artist's imagination to jewelry. Two years apprenticeship gave him the technic he needed to fulfill his aim: creating and realizing at the same time his own jewels. Unable to attend regularly the Arts Decoratifs courses, he had to give them up.

Later on, he left the Aucoc studio and went to England where he remained two years without neglecting design however.

Upon his return from England, one of his relatives took him in his working studio. Disappointed not to find there the impulse he sought to progress in the jewelry line, Rene Lalique made a probation at a jeweler's M. Petit & Fils, rue Chabanais. Finally, unable to stand any restraint, he settled down by himself. Then, free from all influences he started working not only for private customers whose number fastly grew, but for the most famous jewelers as well. Expressing himself through such diversified means as water colors, textile wall papers and sculpture, there was hardly nothing his talent could not attempt and master successfully.

In 1884, An Art and Industry exhibition, in association with the Crown Jewels' one at the Louvre, gave Rene Lalique his first opportunity to come into direct contact with the public through the means of jewel drawings. It was a great revelation to all, namely for the people of the trade who considered him as one of them, from then on.

The following year Rene Lalique received the unexpected offer to purchase a jeweler workshop located Place Gaillon. Hesitating at first, he was finally wise enough to accept. His creative genius could now freely open out. All what nature, life and personal experience had brought him in the last 25 years could be expressed without restraint. With the help of most skilled workmen — themselves under the supervision of a gifted foreman named Briançon — Rene Lalique animated by his creative spirit searched new possibilities through all kinds of materials, from the classical to the most unexpected ones, never or little used, up to then, in jewelry making.

He was then attracted by glass, foreseeing many possibilities in its malleability. In 1890 he moved to No. 20, rue Thérèse where he set up small furnaces which enabled him, during the following two years, to study the different uses of this new material. (Refer to Rene Lalique and Glass). Helped by two relatives of his, Rene Lalique personally decorated his residence, covering walls and ceilings with frescoes, paintings, relievo motives. He designed his own furniture, combining functional and decorative purposes. Living among the people he liked — his assistant Mr. Briançon being one of them — and feeling at ease in this friendly atmosphere, he realized jewelry pieces so original, so inimitable that to this day, they remained and will remain for centuries to come, not only one matchless artist's deed but one epoch's marking.

After his moving into rue Therese, a great number of themes were added to the swallow flight ornament bought in 1887 by Boucheron. They were: proud rooster heads, busy bees, undulating snakes, stately swans, peacocks with glistening colours, gold beetles, butterflies, flowers, fruits, often heavenly combined with pulpy female creatures whose abundant long hair covering or revealing a sensual or a hieratical nakedness were turned into pendants, bracelets, necklaces and combs made of horn, a material first used by Rene Lalique in jewelry.

In 1894 he had sent to the Societe des Artistes Français exhibit, no more In 1894 he had sent to the Societe des Artistes Français exhibition, no more drawings as previously but finished jewels. Among these, was an ivory "basrelief" representing one of the Walkyries Opera's scenes. Rene Lalique had mastered the subject and its details with his usual talent through a process yet unknown in jewelry but which did not remain his secret very long and was soon after used by his competitors.

Rene Lalique who, up to 1895, had only reached a limited audience with the established jewelers — who, although admiring his creations, did not dare to go as far as buying them by fear of their customers'reaction — had the idea to submit his work to the public judgment. He sent to the Societe des Artistes Français a whole assortment of jewels including a "bust plate" in the center of which, superb in her total nakedness, stood a dreamlike female figure. This daring representation if fully accepted during the XVth and XVIth centuries was not admitted anymore towards the end of the Romantic period. Comments sprang up from everywhere. Bitterly critical or praising. Lalique was nevertheless awarded the third medal.

A second medal was granted to him at the occasion of the following exhibition held in 1896, to which he had sent an important choice of jewelry pieces — including a bracelet made of horn — the first jewel ever seen in this material. The same year, besides a medal at a Brussels exhibition, he was awarded "La Croix de Chevalier de la Légion d'Honneur". His growing reputation reached all the spheres, from the most renowned art reviewers to the well informed collectors, such as Calouste Gulbenkian who had bequeathed his marvelous Lalique jewel collection to the Lisbon Museum bearing his name. The unknown jewel designer of the start had reached the pinnacle. He became identified to a genius equal to the past and present most famous artists.

The 1900 International exhibition was his definite consecration and one of the great art event of the time. A "grand prize" and "la Rosette de la Légion d'Honneur" were awarded to the artist whose reputation expanded the world over through numerous foreign art shows.

In 1905 he opened Place Vendôme his own jewelry store. Sculptor as well as architect Rene Lalique erected the same year, at 40 cours la Reine, a building as revolutionnary for the time as his jewels were. Daring, original, were the terms which fully described this architectural realization whose sober lines were ornamented with a fir and pine tree decoration. The glass panels of the main door entrance revealed, in the least details, the sensibility and elegance of the artist's work.

In this building, he installed his workshops, his apartment and his own personal working studio, now the home of his grand daughter Marie-Claude Lalique. He stayed there until his death in 1945. Shortly before, he had the ultimate joy to hear from his son Marc that the glass factory he had set up in Alsace (at Wingen-sur-Moder) in 1921, had been liberated.

Rene Lalique had two children: Suzanne Lalique, born in 1892, Marc Lalique born in 1900, both endowed with the same receptive artistic feeling and creative spirit as their father. Worthy of his talent, they followed different roads with success and contributed thereby to the great renown of Lalique.

Painter and decorator Suzanne Lalique made herself known during 1936-1937 through paintings and folding screens inspired from nature elements. She entered the Comedie Française where she became stage and costume decorator. She herself created various sceneries, namely "Le Bourgeois Gentilhomme" (Molière), "Port Royal" (Montherlant), "A chacun sa vérité" (Pirandello). These extraordinary sceneries so perfectly merging with the subject, left in the memory of those who were lucky enough to see them, an imperishable impression. Now retired, Suzanne Lalique is still often called for advices by the Comedie Française. An eminent colourist, she has successfully exhibited recently in a Paris gallery a serie of paintings on her favourite themes.

RENÉ LALIQUE ET SON TEMPS

La critique, dont la curiosité avait été éveillée dès 1894 lorsque René Lalique envoya au Salon de la Société des Artistes Français le bas relief représentant une scène des Walkyries, déchaînée ou louangeuse à la vue du Nu de la fameuse plaque inspirée de la Renaissance qui fut exposée au même salon l'année suivante, ne cessa de vanter ses mérites par la suite.

Dès 1900 ce fut un concert continu d'éloges exprimés sous les formes les plus littéraires, non seulement par les critiques des journaux et hebdomadaires, mais par les auteurs les plus en renom.

Dès 1898, Jean Lorrain ne parlait-il pas déjà de « l'émerveillante exposition de Lalique » à propos de l'Exposition du Champ de Mars, se répandant en considérations d'une envolée littéraire peu commune au sujet des énormes peignes en corne, d'ivoire et d'écaille dont il voyait difficilement — tant ils étaient de dimensions inusitées — l'emploi, dans la chevelure pour-

tant abondante des femmes de l'époque. Il n'en prévoyait pas moins le succès qu'ils remporteraient parmi les amateurs des cours étrangères.

Par comparaison, tout ce que montraient les autres joailliers lui parût « lourd, commun et prétentieux ».
(Extrait de « Le Journal », 22 Mai 1898).

L'exposition de 1900 suscita un déferlement d'éloges dont l'ampleur et la qualité du style furent rarement atteintes dans ce genre de critique. Chose étonnante vue de notre époque qui vient de traverser la période de dépouillement le plus total avec le style contemporain. Roger Marx, dans un article dédié à René Lalique en 1900, parle de sa manière qui gagne « en ampleur et en simplicité ». Prophétique, il ajoute que les générations à venir auront de ce début du siècle « l'idée d'une société sensible et raffinée, plus sensible à l'adresse, aux inventions résultant de l'usage de la flore et de la matière qu'au luxe vain de la richesse somptueuse ».

La même année, il ajoutait dans un autre article, que la fantaisie de René Lalique lui paraissait atteindre son maximum par ses inventions ou « la femme muée en insecte, en poisson », n'ayant plus d'humain que le visage, s'apparentait aux créatures wagnériennes. Tout comme Edmond Haraucourt, il proclame René Lalique « chef d'école ».
(Extrait de Roger Marx 1900).

Edmond Haraucourt, dans la Dépêche de Toulouse, s'extasie comme le fait Jean Lorrain sur les peignes qui l'emplissent d'admiration avec leur variété, leurs émaux et l'emploi inhabituel de pierres inattendues. Les colliers, les diadèmes, les nœuds de serpents l'impressionnent à un point extrême. Le goût déployé dans les motifs mettant en valeur le nu féminin comme ceux empruntés à la nature lui font dire de René Lalique : « C'est un grand artiste, un chef d'école » qui porte au « premier rang la bijouterie française ». Il ajoute in fine, cette phrase étonnante : « Nul n'est autorisé à se dire amateur d'art s'il ne possède pas un Lalique ».

Il fut entendu si l'on songe à tous les fervents collectionneurs de Lalique qui se sont révélés depuis, avant tout Calouste Gulbenkian déjà mentionné.
(Extrait de Edmond Haraucourt dans la Dépêche de Toulouse à propos de l'Exposition de 1900).

Quelque trente années plus tard, c'est au verrier René Lalique qu'allèrent les éloges et non plus au joaillier qu'il avait à peu près cessé d'être vers 1910, pour se consacrer au verre. Cette nouvelle orientation lui valut également les appréciations les plus flatteuses.

Ernest Tisserand, dans une critique parue en 1932 dans l'Illustration, disait que René Lalique élargissait sans cesse la portée de son œuvre. Ce qui fut parfaitement exact si l'on considère que partant des flacons qu'il fit pour Coty, il passa aux accessoires de table et de décoration, de ceux-ci à certains articles d'ameublement, et fut l'auteur de bouchons de radiateurs — pièces parmi les plus prisées des collectionneurs actuels. La fontaine monumentale qu'il exécuta pour l'Exposition de 1925, les vitraux traités en dalles sculptées firent également l'objet de l'admiration d'Ernest Tisserand.
(Extrait de l'Illustration Juin 1932).

Paul Morand, dans un article paru dans l'hebdomadaire Marianne (15 Février 1933) fait preuve d'une admiration aussi respectueuse qu'affectueuse pour l'homme et son œuvre disant de René Lalique qu'il avait connu dans son enfance — et bien qu'à l'époque de cet article, Lalique eût 73 ans — qu'il n'avait pas changé et que toujours « mince et fort d'aspect, il faisait preuve d'une vitalité et d'une jeunesse étonnantes ».

Comparant sa sensibilité à celle de Debussy, il insistait sur le fait que Lalique était resté aussi sobre en paroles qu'il fût prolifique en imagination.

Dans un autre article du même hebdomadaire, de la même année, Paul Morand parlant du verrier qu'était devenu René Lalique à travers les canaux aussi divers que la sculpture, l'émaillage, l'orfèvrerie, la joaillerie, disait qu'il avait atteint une connaissance si totale des effets de reflets et de transparence qu'elle ne pouvait l'amener qu'au verre dont les vantaux de la porte de l'immeuble du cours la Reine en étaient « avec ses arborescences givrées » l'expression la plus parfaite.

Des flacons faits pour Coty en 1910 jusqu'à la grande fontaine, et à la salle à manger aux murs de marbre décorés par René Lalique pour la manufacture de Sèvres à l'occasion de l'Exposition des Arts Décoratifs de 1925, tout à concouru à donner à René Lalique une place unique, incontestable parmi les artistes de son temps. Faisant allusion à la période pendant laquelle René Lalique se consacrait aux bijoux, Paul Morand disait que le temps était loin où cet « artisan français » maintenant consacré, décorant « des paquebots, des églises, des wagons-lits et des hôtels » ornait de ses peignes et bijoux « des chignons et des corsages ».
(Extrait de Marianne 1933).

Gustave Geoffroy qui écrivit un livre sur René Lalique disait de lui qu'il avait toujours songé au verre, cette matière souple et docile pouvant donner lieu à toutes les exigences de son imagination. A juste titre il ajoute qu'en rénovant l'art du verre et en l'appliquant notamment aux flacons de parfum, Lalique a augmenté la valeur et la diffusion de ce dernier.
Gustave Geoffroy. Extrait d'un livre sur René Lalique.

« L'aristocratie du style » est la définition que donne René Rozet de René Lalique dont il admire la maîtrise avec laquelle il aborde tous les problèmes comme si la création « ne lui coûtait rien d'autre que de les penser ».
René Rozet. Extrait d'un Essai 1933.

Miguel Zamacoïs qui fût un grand ami de René Lalique le définit comme un « possédé du travail », considérant les services de verres qu'il créa comme « des merveilles de délicatesse », rendant par comparaison « la verrerie courante banalisée jusqu'à la vulgarité ».
Miguel Zamacoïs. Extrait de l'Alsace Française 1933.

D'un portrait que René Lalique avait fait de Sarah Bernhardt, R. Hahn, éminent critique de l'époque, disait qu'il était à ses yeux le principe même de la spirale. Il est de fait que l'attitude du buste, le mouvement de la tête en opposition avec celui de la robe et de sa traîne formant des révolutions harmonieuses autour du corps donnaient l'impression d'une gracieuse et mouvante spirale.

RENE LALIQUE
THROUGH HIS TIME

Reviewers whose interest in Rene Lalique had started in 1894 when he exhibited at Artistes Français the ivory Walkyries bas relief and had continued to refer to him, in a bitter or praising way at the sight of the famous Renaissance Plaque with its center nude exhibited the following year, did not stop from then on to praise him up.

From 1900 praising became a worship expressed in the most litterary ways not only by the Press but by the most renowned writers.

From 1898 on, Jean Lorrain speaking about the Champs de Mars exhibit referred to the "marvelous Lalique". Expressing in the most precious way his admiration for the large combs made of horn, ivory or tortoise shell, he wondered how women could wear them, so big they were. However he said that for sure they would be tomorrow's fad — which they became.

By comparison, did he add, all the other jeweler's works seemed to him heavy without appeal and affected.
(From "Le Journal" May 22nd 1898).

The 1900 exhibit raised up an unfurl of praises. Viewed from our period which just comes out of the stripped contemporary, the comments of Roger Marx about the "simplicity and the ampleness" of Rene Lalique's style seem strangely up to date. He says prophetically that the coming generations will judge the beginning of our century "as having been a receptive and most refined society, more appreciative of skill, of inventions resulting from the use of flora and materials than of the vain luxury of a somptuous richness".

The same year he added in another comment that Rene Lalique's inventive spirit reaches, in his opinion, its peak with the representations of "the woman turned into insect or fish though keeping a human face related to the Wagnerian creatures". As did Edmond Haraucourt he proclaimed Rene Lalique "chef d'école".
(From Roger Marx 1900).

Edmond Haraucourt in the newspaper la Dépéche de Toulouse is like Jean Lorrain most amazed over the combs of which the variety, the enamels and the unusual use of unexpected stones bewilder him. Necklaces, diadems, serpent knots raised his admiration. The taste displayed in the female nakedness motives as well those taken from nature leads him to proclaim Rene Lalique as "a grand artist et chef d'école" who "brings up French jewelry to the first rank" adding, in fine "no one is authorized to speak of himself as an art connoisseur if he does not own a Lalique".

He certainly was listened to if one considers all the Lalique collectors who revealed themselves since then — the most brilliant of them being Calouste Gulbenkian already mentioned.
(Edmond Haraucourt - Dépéche de Toulouse a propos 1900 exhibit).

Some thirty years later, the praises went not anymore to the jeweler which Rene Lalique had stopped to be towards 1910 — but to the glassmaker. This new orientation brought him too the most flattering comments. In a review published in 1932 in l'Illustration, Ernest Tisserand said that Rene Lalique was constantly enlarging the scope of his work. This remark proved to be perfectly true considering that from perfume bottles he made for Coty, he proceeded to table and decorative accessories and from these to furnishing elements. He was also the creator of unforgettable radiator caps which are among the pieces the most sought after by collectors. The monumental fountain which he made for the 1925 exhibit and the stained glass like sculptured slabs raised as well Ernest Tisserand admiration.
(From l'Illustration June 1932).

Paul Morand proclaims his respectful and affectionate admiration for the man and his deed in an article published by the weekly Marianne in February 15th 1933. Referring to Rene Lalique whom he had known during his childhood — and although Lalique was then 73 — he said that he hâd not changed and that always "slim and strong at the same time he displayed the vigor of a surprising vitality and youth". Comparing his sensibility to Debussy's, he insisted on the fact that René Lalique had remained as sober in words as he was prolific in imagination.

In another article of the same weekly magazine, the same year, Paul Morand speaking about the glassmaker which Rene Lalique had become through channels as different as sculpture, enameling, silverware and jewelry, said of him that he had attained a so perfect knowledge of the effects of reflection and transparency that he had to come to glass. He added that the door panels of the cours la Reine building, with their frosted arborescences, were the most perfect illustration of the fact.

From the bottles made for Coty to the monumental fountain and to the decorated marble walls of the dining room made for the Sevres Manufacture on the occasion of the Decorative Arts Exhibit in 1925, all has contributed to give to Rene Lalique the unique indisputable place among the artists of his time. Referring to the period during which Rene Lalique devoted himself to jewelry, Paul Morand stated that "the time when this French artisan— now consecrated and decorating steamships, churches, wagons-lits and hotels — used to adorn hair and busts with combs and jewels was far away. (From Marianne 1933).

Gustave Geoffroy who wrote a book about Rene Lalique said that he had always been thinking about glass — this supple and obedient material being able to satisfy all the requirements of his imagination. He adds that by renovating the art of glass and applying it to perfume bottles Rene Lalique had increased the value and the diffusion of the perfume itself. (Gustave Geoffroy. From a book about Rene Lalique).

"Aristocracy of style" is the definition applied by Rene Rozet to Rene Lalique of whom he admires the mastery with which he solves "all the problems just as if creation did not cost him more than the thinking of them". (Rene Rozet from an Essay 1933).

Miguel Zamacoïs, a great friend of Rene Lalique, thinks of him as a "work possessed man". Considering the glass drinking vessels Lalique had created as "wonders of delicacy" which by comparison — he said — rendered "the usual glassware banal, ordinary to the point of vulgarity". (Miguel Zamacoïs from L'Alsace Française 1933).

Of a portrait Rene Lalique had made of Sarah Bernhardt, R. Hahn, eminent reviewer of the time said it was in his opinion the very spiral principle. As a matter of fact, the bust attitude, the head movement opposing the one of the dress and its train shaping in harmonious revolving moves around the body, gave the impression of a graceful spiral in motion.

Portrait de Sarah Bernhardt par *R. LALIQUE.*

Portrait of Sarah Bernhardt by *R. LALIQUE.*

ET LE BIJOU

Grilles des vitrines de l'Exposition
Universelle de 1900. Bronze patiné.

Patined bronze 1900 World Fair
display case doors.

Diadème tête de coq
(or, émail et une améthyste.
Haut. 9 cm × 15 cm.
Signé LALIQUE vers 1898.

Roosger crest diadem
(gold, enamel amethyst).
Height 9 × 15 centimeters.
Signed LALIQUE circa 1898.

Grande broche
représentant des femmes et des scarabées
en chrysoprase sculptée sur or et brillants.
Long. 17 cm. Signé LALIQUE.

Large brooch
representing carved chrysoprase women
and scarabs on gold with brillants.
Length 17 centimeters. Signed LALIQUE.

Pectoral nœud de serpents
(argent doré, émaillé en champlevé).
Haut. 21 cm × larg. 14 cm.
Signé LALIQUE vers 1898.

Knot of serpents pectoral
(gilded champelevé enamelled silver).
Height 21 centimeters × 14 centimeters wide.
Signed LALIQUE circa 1898.

Pectoral cavaliers combattant un dragon
(cristal, émail et aigues-marines).
Haut. 7 cm × 17 cm.
Signé LALIQUE vers 1903.

Pectoral. Knights subdining a dragon
(crystal, enamel and aquamarines).
Height 7 centimeters × 17 centimeters.
Signed LALIQUE circa 1903.

Bracelet aux hiboux
Hiboux en cristal sur fond en or émaillé
et émail translucide or ciselé, cabochons
incrustés.
Long. 20 cm.

Owls bracelet
Crystal owls on ground of enamelled gold
and translucent enamel, chased gold,
inlaid cabochons.
Length 20 centimeters.

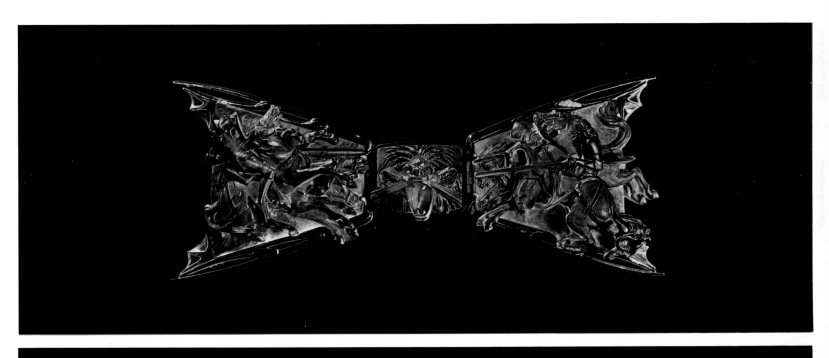

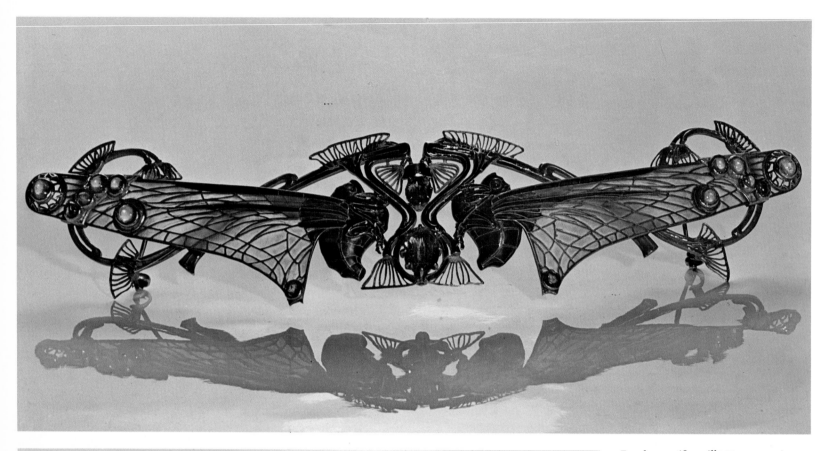

Broche motif papillons
Emaux translucides rouges et Péridots.
Long. 20 cm. Signé LALIQUE.

Butterfly brooch.
Red translucent enamels and péridots.
Length 20 centimeters. Signed LALIQUE.

Bracelet représentant une ronde
de femmes
Or, pâte de verre avec inclusion d'or et
d'argent. Perles baroques.
Long. 18 cm. Signé LALIQUE.

Bracelet of dancing women
Gold, paste with gold and silver inlay.
Baroque pearls.
Lenght 18 centimeters. Signed LALIQUE.

Collier Pensées
Or, cristal taillé, émaillé. Patte de verre,
émaux opaques et translucides.
Diam. 11 cm. Signé LALIQUE.

Pansy necklace
Gold, cut and enamelled crystal. Paste,
opaque and translucent enamels.
Diameter 11 centimeters. Signed LALIQUE.

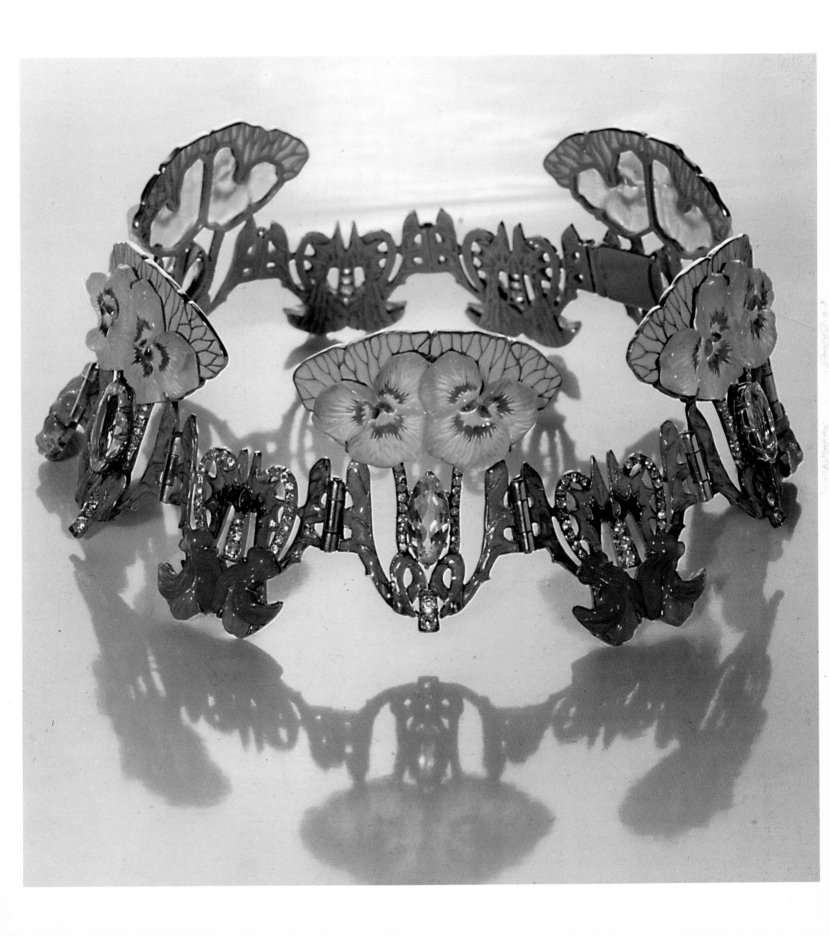

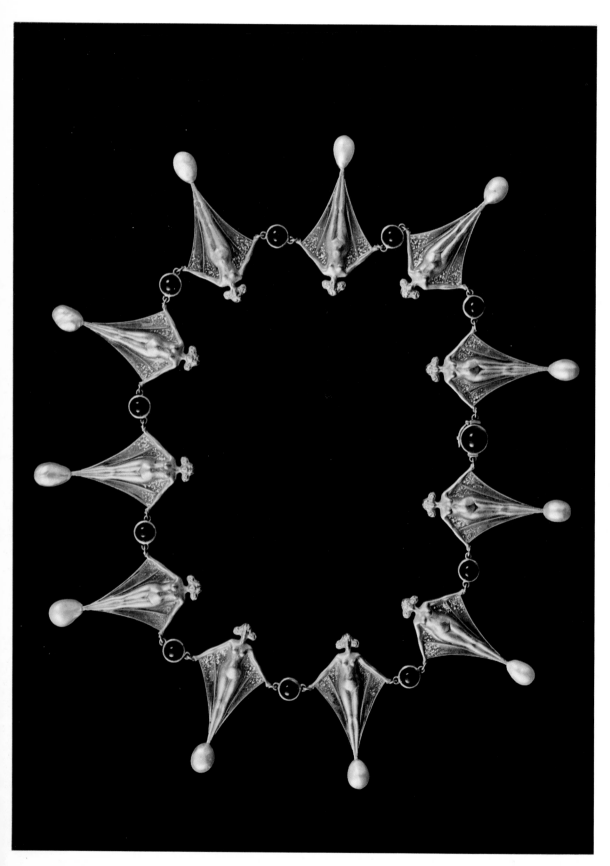

Collier représentant une ronde de femmes
Or, pâte de verre avec inclusions d'or et d'argent, améthystes et perles baroques. Diam. 13 cm. Signé LALIQUE.

Necklace of dancing women
Gold, paste with gold and silver inlays, amethysts and baroque pearls. Diameter 13 centimeters. Signed LALIQUE.

Collier or et émail
Chaque élément représente une femme nue et deux cygnes améthyste en bout. Entre chaque motif une grosse opale. Fait pour l'Exposition de 1900. Signé LALIQUE.

Gold and enamel necklace
Each element is a nude with two amethyst swans. Large opals separate the éléments. Designed for the 1900 Fair. Signed LALIQUE.

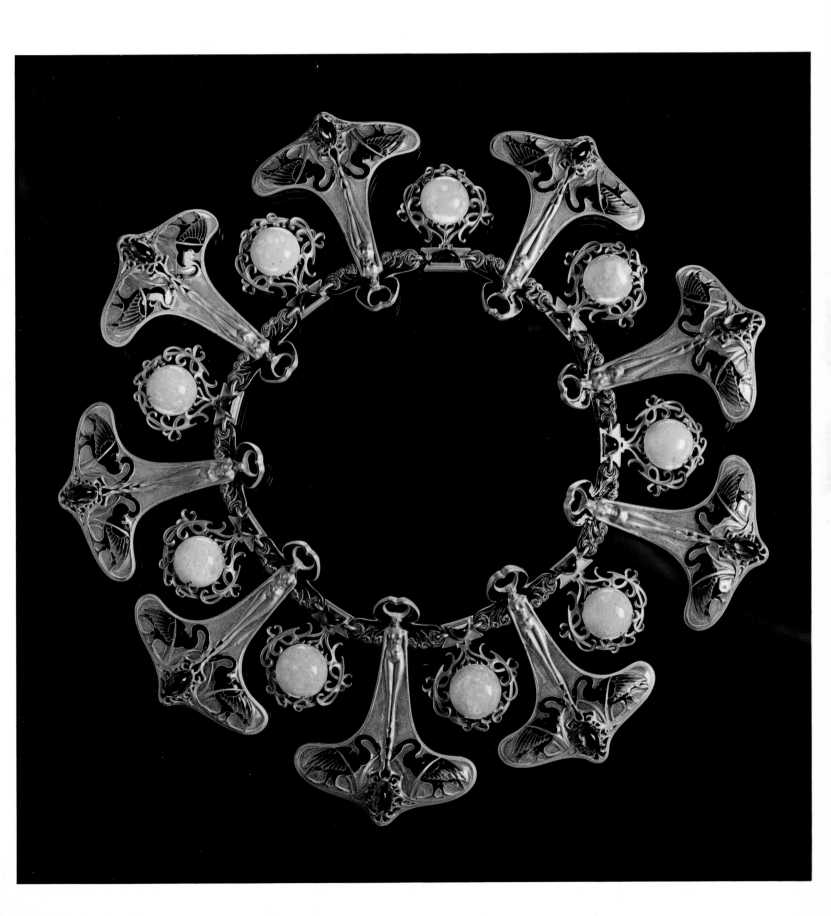

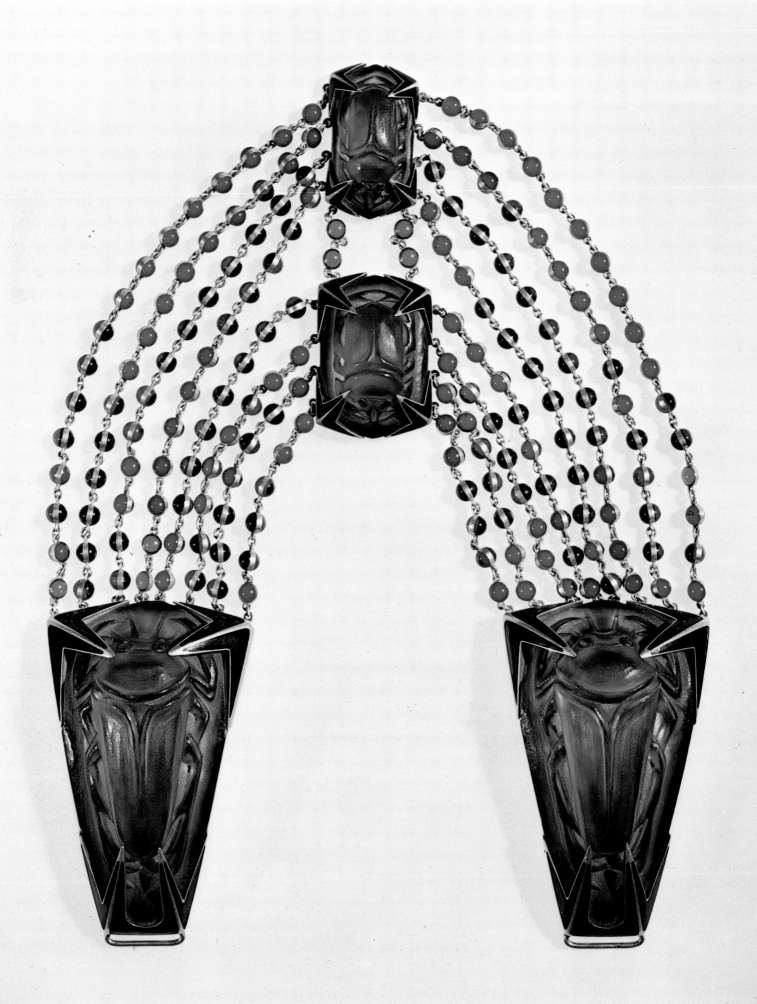

Collier or et verre sculpté représentant
des scarabées
Perles en verre.
Long. environ 22 cm. Signé LALIQUE.

Gold and sculptured glass scarabs
necklace
Glass beads.
Length about 22 centimeters.
Signed LALIQUE.

Pendentif
Or et émaux. Saphir jaune au centre.
Topaze en pendeloque.
Haut. 9 cm. Signé LALIQUE.

Pendant
Gold and enamels. Yellow sapphire in the
the center. Pendant topaz.
Height 9 centimeters. Signed LALIQUE.

Boucle de ceinture
Motif branches de chardons.
Cuivre, émaux et cristal rosé sculpté.
Long. 10 cm. Signé LALIQUE entre 1902
et 1906.

Belt buckle
Thistle motif. Copper, enamels and
sculptured pink crystal.
Length 10 centimeters. Signed LALIQUE
between 1902 and 1906.

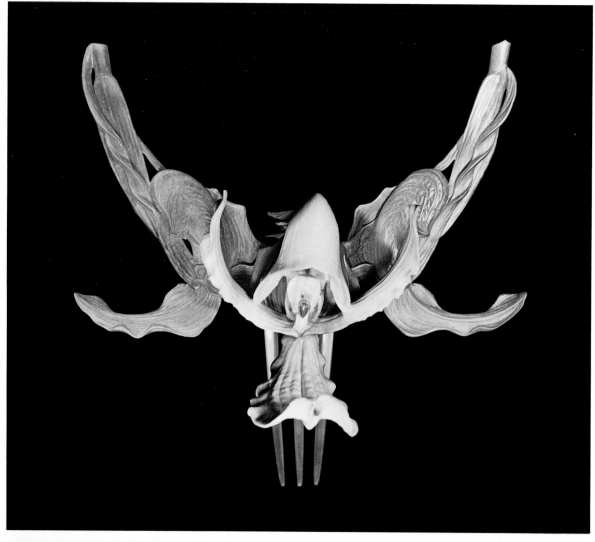

Diadème
(ivoire, corne et une topaze).
Haut. 16 cm. Vers 1897-1900.
Signé LALIQUE.

Diadem
(horn, ivory and topaz).
Height 16 centimeters. Circa 1897-1900.
Signed LALIQUE

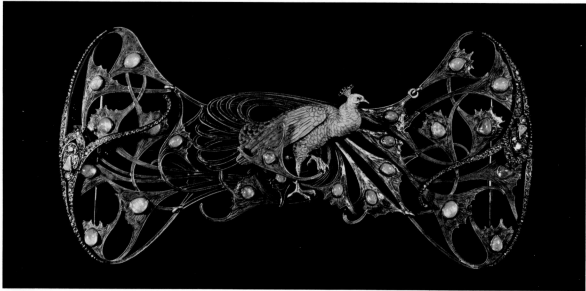

Devant de corsage « Paon »
(or ciselé et émaillé).
Cabochon d'opales montées en sertissure.
Brillants calandrés.
Haut. 9 cm. Larg. 19 cm. Signé LALIQUE.

Large "Peacock" brooch
(chased and enamelled gold).
Set opals cut cabochon. Graded diamonds.
Height 9 centimeters. Width 19 centimeters.
Signed LALIQUE.

Plaque de collier
*Le visage est en chrysoprase sculptée,
la chevelure en or ciselé, les fleurs et le nœud
en or émaillé.
Haut. 5 cm × larg. 9 cm. Signé LALIQUE.*

Pendant
*Face carved out of chrysoprase (golden-green
precious stone), hair made of chased gold,
flowers and knot of enamelled gold.
Height 5 centimeters × 9 centimeters.
Circa 1899-1900. Signed LALIQUE.*

Broche
*Masque de femme, encadré de sa chevelure
et coiffé de trois pavots. Une grosse perle
baroque bleutée en pendeloque, monture
d'argent.
Haut. 10 cm. Signé LALIQUE.*

Brooch
*Female mask framed in hair and topped
with three poppies. Large pendant bluish
baroque pearl, chased ondized silver setting.
Crystal face.
Height 10 centimeters. Signed LALIQUE.*

Pendentif en forme d'insecte
*La chaîne est en argent émaillé.
Matériaux : cristal, saphir et diamants,
or, pierres de lune, émaux.
Haut. 9 cm. Vers 1898-1900.
Signé LALIQUE.*

Insect pendant
*With enamelled silver chain.
Materials: crystal, sapphire and diamonds
gold, moonstones, enamels.
Height 9 centimeters. Circa 1898-1900.
Signed LALIQUE.*

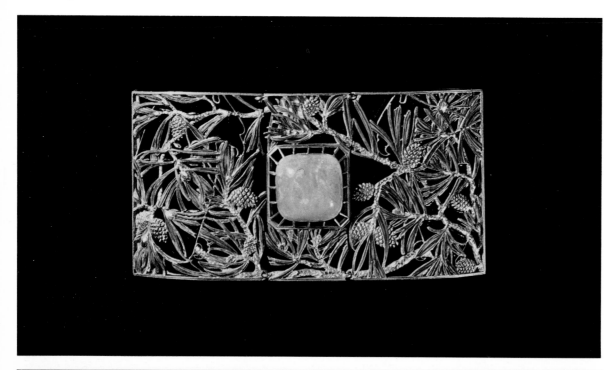

Plaque de collier
(or, émail et un cabochon d'opale).
Haut. 5 cm × larg. 10 cm.

Pendant
(gold, enamel, opal cut cabochon).
Height 5 centimeters × 10 centimeters wide.

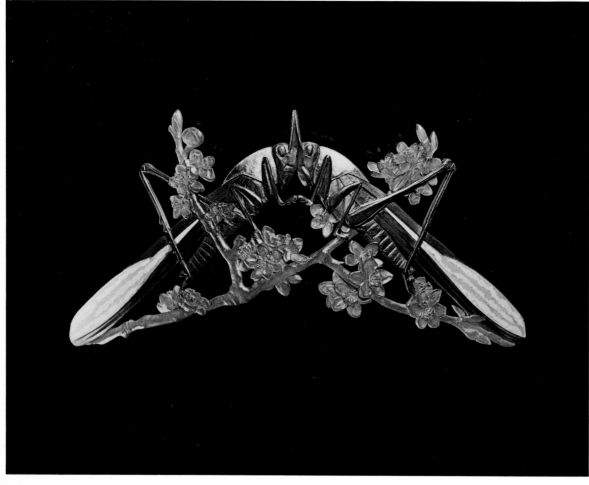

Diadem
(corne sculptée et or émaillé).
Long. 17 cm.

Diadem
(carved horn and enamelled gold).
Length 17 centimeters.

Pendentif. Femme coq
*Or, plaque d'ivoire sculptée. En pendeloque,
une opale avec une partie de sa gangue.
Au revers, une forêt d'arbres gravée sur or
et émaillée brun.
Long. 12 cm. Signé LALIQUE.*

Pendant. Woman in rooster form
*Gold, carved ivory plaque. Pendant opal
emerging from its matrix. On the back,
a brown-enamelled forest etched on gold.
Length 12 centimeters. Signed LALIQUE.*

Pendentif. Une femme de profil
*Bas-relief en ivoire sculpté or et argent,
émaux, cabochons violets.
Long. 15 cm. Signé LALIQUE.*

Pendant. Woman's profile
*Bas-relief in carvec ivory, gold and silver
enamels. Violet cabochons.
Length 15 centimeters. Signed LALIQUE.*

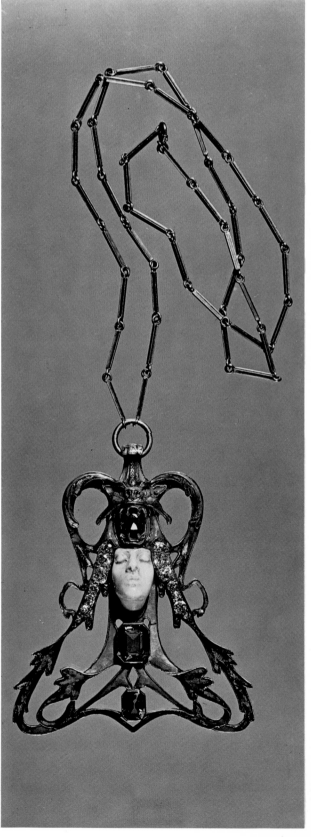

Pendentif
(or émaillé et opale)
Haut. 6 cm × 7 cm. Vers 1903-1904.
Signé LALIQUE.

Pendant
(enamelled gold and opal).
Height 6 centimeters. Width 7 centimeters.
Circa 1903-1904. Signed LALIQUE.

Pendentif
(ivoire, diamants, émail, saphir et or émaillé).
Haut. 8 cm.

Pendant
(ivory, diamonds, enamel, sapphires and
enamelled gold).
Height 8 centimeters.

Pendentif
(chrysoprase, or et une émeraude).
Haut. 11 cm × larg. 8 cm.

Pendant
(chrysoprase, gold and emerald).
Height 11 centimeters × 8 centimeters wide.

Pendentif « Dauphins »
Or émaillé et cristal taillé émaillé.
2 aigues-marines.
Long. 14,03 cm. Signé LALIQUE.

"Dolphin" pendant
Enamelled gold and enamelled cut crystal,
2 aquamarines.
Lenght 14.03 centimeters. Signed LALIQUE.

Broche groupe de personnages
Or, ivoire sculpté et émaux mauves.
9 cm. Signé LALIQUE.

Brooch with figures
Gold, carved ivory and mauve enamels.
9 centimeters. Signed LALIQUE.

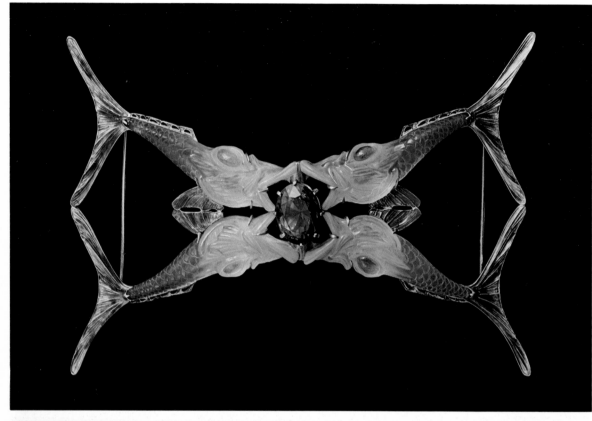

Broche articulée quatre poissons
Or et pâte de verre émaillée bleue.
Au centre un saphir.
Long. 11 cm. Signé LALIQUE.

Jointed brooch, four fishes
Gold and blue enamelled paste.
Center sapphire.
Length 11 centimeters. Signed LALIQUE.

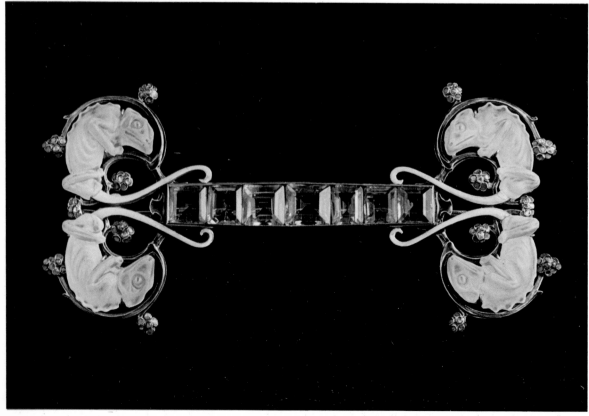

Broche 4 caméléons
Or, pâte de verre, émaux, émeraudes calibrées.
Long. 10 cm. Signé LALIQUE.

Brooch with 4 chameleons
Gold, paste, enamels graded emeralds.
Length 10 centimeters. Signed LALIQUE.

Broche
Deux cerises, or, émaux vert pâle et mosaïque d'opales.
10 cm. Signé LALIQUE.

Brooch
Two cherries, gold, pole green enamels and mosaic of opals.
10 centimeters. Signed LALIQUE.

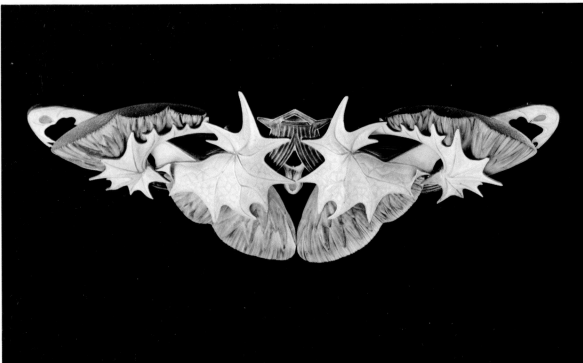

Broche convertible en pendentif
Or, émaux opalescents et pâte de verre bleue.
Long. 14 cm. Signé LALIQUE.

Brooch convertible into pendant
Gold, opalescent enamels and blue paste.
Length 14 centimeters. Signed LALIQUE

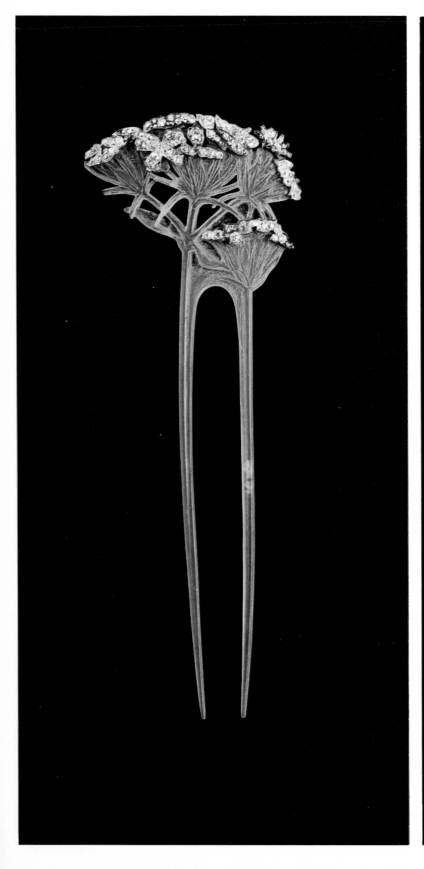

Epingle à chevaux
(corne et brillants)
Motif de fleurs.
Long. 16 cm. Signé LALIQUE.

Hairpin
(horn and brilliants).
Flower motif.
Length 16 centimeters. Signed LALIQUE.

Epingle à cheveux
(corne, émail et brillants).
Haut. 16 cm × larg. 8 cm.
Vers 1903-1904. Signé LALIQUE.

Hairpin
(horn, enamel and brillants).
Lenght 16 centimeters × 8 centimeters wide.
Circa 1903-1904. Signed LALIQUE.

Peigne
(corne sculptée et émail).
Haut. 15 cm × larg. 9,5 cm.

Comb
(carved horn and enamel).
Height 15 centimeters × 9,5 centimeters wide.

Peigne au Paon
Corne et or, incrustée d'opales, émaux.
Haut. 18 cm. Signé LALIQUE.
Acheté par le Musée des Arts Décoratifs
au Salon de 1898.

Peack comb
Horn and gold, inlaid with opals, enamels.
Height 18 centimeters. Signed LALIQUE.
Purchased by the Decorative Arts Museum
at the 1898 Exhibition.

Peigne aux feuilles et fleurs de muguet
Corne, or, émaux.
Haut. 15 cm. Signé LALIQUE 1900.

Lily of the valley comb
Horn, gold, enamels.
Height 15 centimeters. Signed LALIQUE
1900.

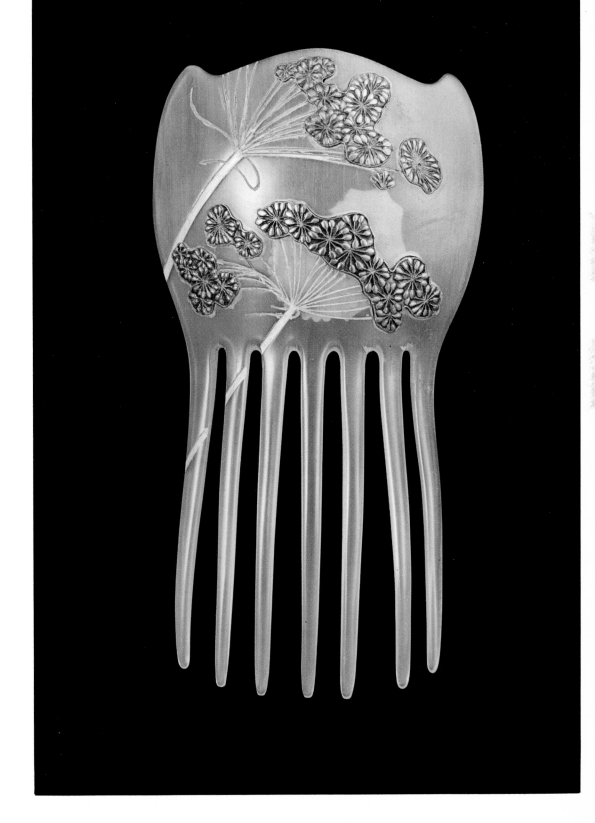

Peigne en corne blonde
Décor deux ombelles en cloisonné argent
sur fond d'émail brun.
Haut. 15 cm. Signé LALIQUE.
Acheté à R. LALIQUE par le Musée des Arts
Décoratifs au Salon de 1898.

Blond horn comb
Two silver cloisonné umbels on brown
enamel ground.
Height 15 centimeters. Signed LALIQUE.
Purchased from René LALIQUE by the
Decorative Arts Museum at the 1898
Exhibition.

Collier
*Entrelacs de feuillages, émaux champlevés
et translucides sur or, brillants perles
baroques et grains de cristal.
Long. 52 cm. Signé LALIQUE.*

Necklace
*Foliage tracery, champlevé and translucent
enamels on gold, diamonds, baroque pearls
and crystal beads.
Height 52 centimeters. Signed LALIQUE.*

Diadème
*Motif noisettes. Corne patinée. Emaux sur or
avec paillons d'argent pour les noisettes.
Pierres de lune.
Environ 16 cm. Signé LALIQUE.*

Diadem
*Hazelnut motif. Patinated horn. Enamels
on gold with silver spangles for the hazelnuts.
Moonstones.
About 16 centimeters. Signed LALIQUE.*

Plaque de cou
*en émail translucide sur or, avec perles
baroques rosées. Tour de cou en perles.
Long. 32 cm. Signé LALIQUE.*

Choker
*Translucent enamel on gold with pinkish
baroque pearls. Pearl necklace.
Lenght 32 centimeters. Signed LALIQUE.*

Broche. Motif deux paons
*Or, émaux bleus, opales sculptées et cristal
gravé. Saphirs. Un saphir en pendeloque.
Long. 22 cm. Signé LALIQUE 1902.*

Brooch. Motif: two peacocks
*Gold, blue enamels, carved opals and etched
crystal. Sapphires. Pendant sapphire.
Length 22 centimeters. Signed LALIQUE
1902.*

Collier ras du cou
Or, émaux et corail.
Long. à plat. 32 cm. Signé LALIQUE.

Choker
Gold, enamels and coral.
Flat length 32 centimeters. Signed LALIQUE.

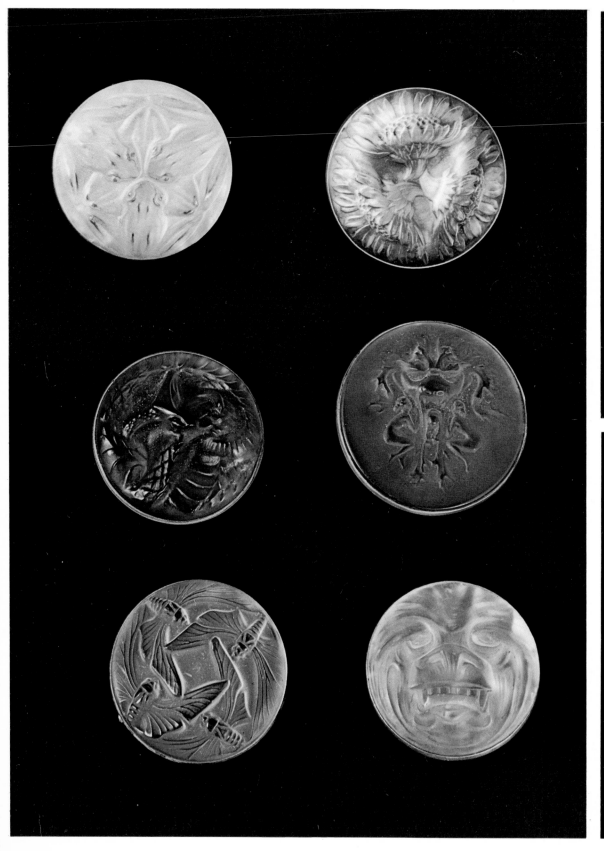

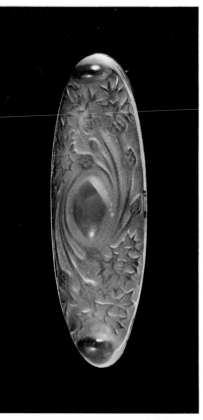

Broches de verre
(monture cuivre avec paillons de couleurs sous le verre).
Diam. 5 cm. Signé LALIQUE.

Glass brooches
(copper setting with colored spangles under the glass).
Diameter 5 centimeters. Signed LALIQUE.

Broches de verre
(monture cuivre avec paillons de couleurs sous le verre).
Long. 8 cm. Vers 1920.

Glass brooches
(copper setting with colored spangles under the glass).
Lenght 8 centimeters. Circa 1920.

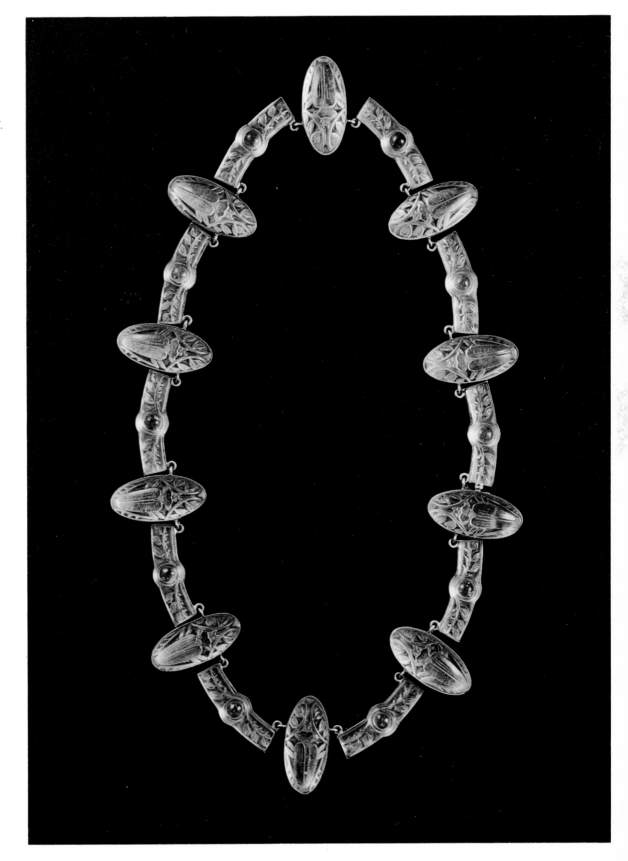

Collier 10 motifs de scarabées
(cristal sur or).
Long. 40 cm. Signé LALIQUE.

Scarab necklace
(crystal on gold).
Length 40 centimeters. Signed LALIQUE.

Diadème articulé 3 bourdons
en cristal sculpté et émaillé sur métal.
Les tiges sont serties de brillants.
Développement 15 cm. Signé LALIQUE.
Acheté à R. LALIQUE par le Musée des
Arts Décoratifs.

Jointed diadem, 3 bumblebees
made of sculptured enamelled crystal on metal.
The stems are set with brilliants.
Spread 15 centimeters. Signed LALIQUE.
Purchased from H. LALIQUE by the
Decorative Arts Museum.

Série de bagues
Emaux sur or, argent ou cuivre, opales,
perles, améthystes, brillants.
Signé LALIQUE entre 1900 et 1906.

Rings
Enamels on gold, silver or copper, opals
pearls, amethysts, diamonds.
Signed LALIQUE between 1900 and 1906.

Collier aux noisettes
*Or ciselé, émaux, brillants et péridots.
Diam. collier 12 cm. Haut. de la plaque :
5 cm. Signé LALIQUE.*

Hazelnut necklace
*Chased gold, enamels, brilliants and péridots.
Necklace diameter 12 centimeters.
Height of the ornament : 5 centimeters.
Signed LALIQUE.*

Bracelet de cheville
*Motif chauve-souris et étoiles. Emaux sur
cuivre, opale et brillants.
Motif 7 cm. Signé LALIQUE entre 1902
et 1906.*

Anklet
*Bat and stars motif. Enamels on copper
opal and brilliants.
Motif 7 centimeters. Signed LALIQUE
between 1902 and 1906.*

Broche « Le Baiser »
*Monture métal et cristal sculpté. Inscription
émaillée sur la tranche : « Je rêve aux
baisers qui demeurent toujours. »
Long. 7 cm. Signé LALIQUE.*

"Kiss" brooch
*Metal and sculptured crystal setting.
Inscription enamelled on the edge :
"I dream of kisses eternal."
Length 7 centimeters. Signed LALIQUE.*

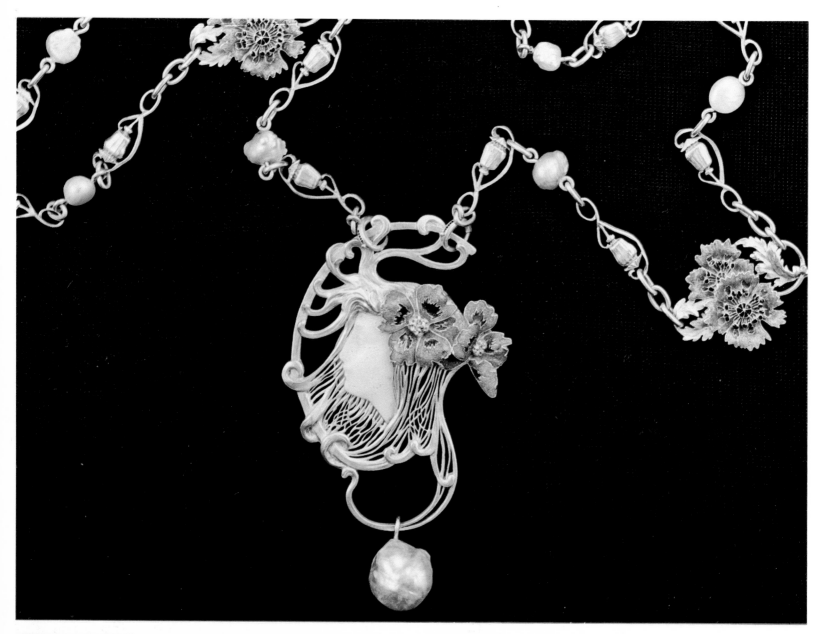

Pendentif avec sa chaîne
*Profil de femme. Or ciselé, émaux bleutés,
perles baroques et une pierre blanche
sculptée pour le visage.
Haut. 10 cm. Signé LALIQUE vers 1900.*

Pendant and chain
*Woman's profile. Chased gold bluish enamels,
baroque pearls and carved with stone for the
face.
Height 10 centimeters. Signed LALIQUE
circa 1900.*

Plaque et tour de cou
*Or, émaux et perles baroques.
Long. 28 cm, larg. 5 cm.
Signé LALIQUE vers 1900.*

Chocker
*Gold, enamels and baroque pearls.
Length 28 centimeters, width 5 centimeters.
Signed LALIQUE circa 1900.*

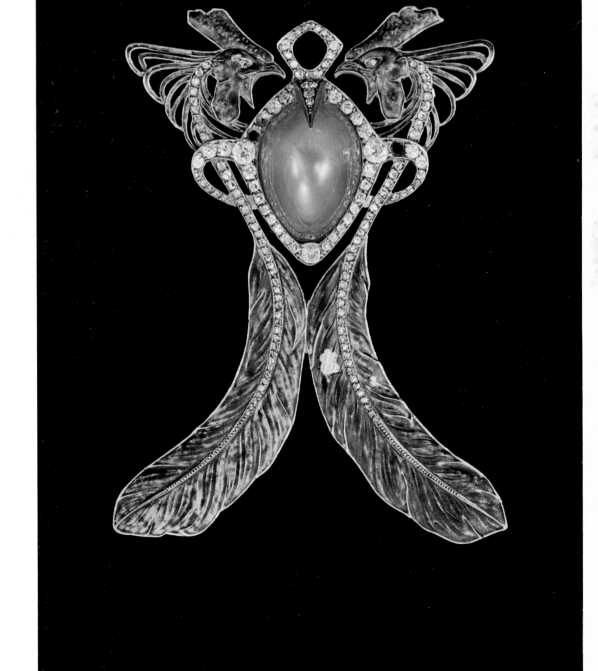

Pendentif deux coqs
*Cuivre, émaux bleus et brillants.
Haut. 7 cm. Signé LALIQUE entre 1902
et 1906.*

Brooch with two roosters
*Copper, blue enamels and brilliants.
Height 7 centimeters. Signed LALIQUE
between 1902 and 1906.*

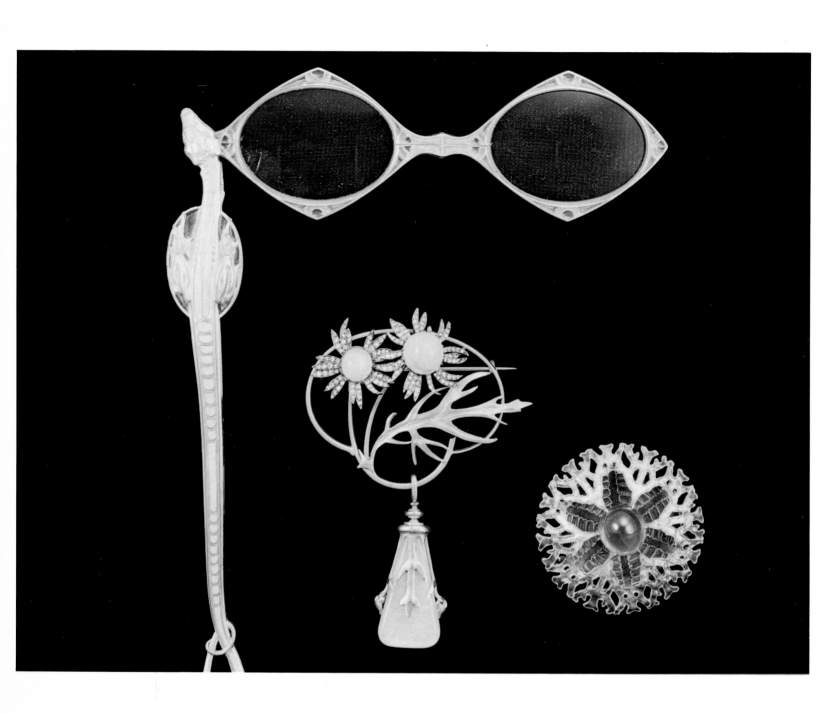

Face à main
Lézard or et émaux.
Long. 16 cm. Larg. fermé 4 cm.
Signé LALIQUE vers 1900.

Lorgnette
Gold and enamel lizard.
Lenght 16 centimeters. Closed width
4 centimeters. Signed LALIQUE circa 1900.

Broche
Motif deux fleurs de chardon, or, émaux
petits brillants et opales. Une opale
triangulaire en pendentif.
Haut. 9 cm. Signé LALIQUE vers 1900.

Brooch
Motif: two thistles. Gold, enamels, small
brilliants and opals. Pendant triangular opal.
Height 9 centimeters. Signed LALIQUE
circa 1900.

Broche. Bleuet stylisé.
Or, émaux et saphir bleu clair. Cabochon.
Diam. 4 cm. Signé LALIQUE.

Brooch. Stylized bluet
Gold, enamels and clear blue sapphire.
Cabochon.
Diameter 4 centimeters. Signed LALIQUE.

Peigne en corne blonde
sculpté de papillons émaillés.
10 cm. Signé LALIQUE.

Blond horn comb
carved into enamelled butterflies.
10 centimeters. Signed LALIQUE.

Montre
Boîtier motif branchages de pins. Cloisonné
or. Emaux verts gravé sur fond émaux
translucides blanc laiteux.
Diam 5 cm. Signé LALIQUE vers 1900.

Watch
Case with pinesbranch motif. Gold cloisonné
Chased green enamels on milky white
translucent enamel ground.
Diameter 5 centimeters. Signed LALIQUE
circa 1900.

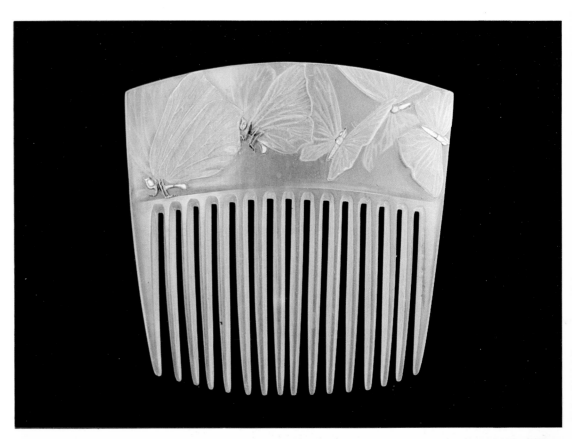

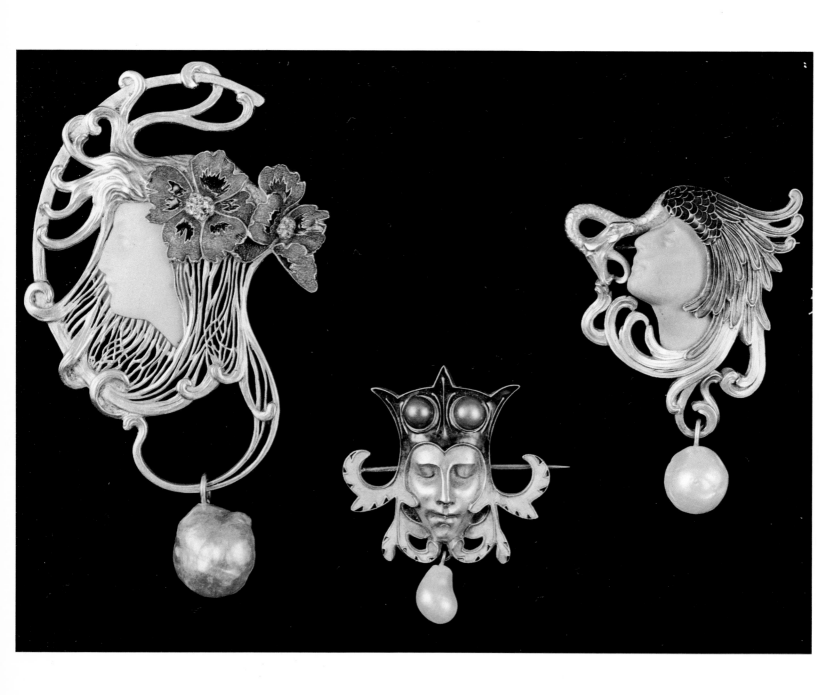

Broche
Visage entouré de feuillages. Emaux sur or.
Deux perles noires sur la coiffure. Perle
baroque en pendeloque.
Haut. 5 cm. Signé LALIQUE.

Brooch
Face framed in foliage. Enamels on gold.
Two black pearls in the hair. Pendant
baroque pearl.
Height 5 centimeters. Signed LALIQUE.

Broche profil de femme
Emaux sur métal. Perle baroque.
Haut. 6 cm. Signé LALIQUE.

Brooch woman's profile
Enamels on metal. Baroque pearl.
Height 6 centimeters. Signed LALIQUE.

Se trouve en page 70

See page 70

Broche Paon or et émaux
Deux opales 50/57.
Signé LALIQUE vers 1900.

Gold and enamel peacock brooch
Two opals 50/57.
Signed LALIQUE circa 1900.

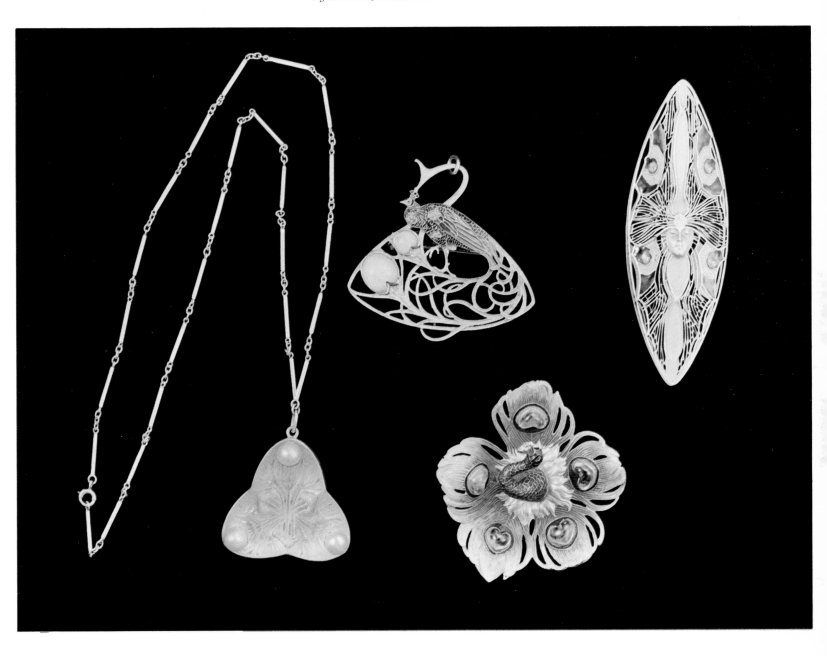

Pendentif cristal sur or
Chaîne émaillée blanc 3 perles.
Larg. 4 cm. Signé LALIQUE vers 1907.

Crystal on gold pendant
White enamelled chain. 3 pearls.
Width 4 centimeters. Signed LALIQUE
circa 1907.

Broche tête de paon
Or et émaux, cinq pierres de lune.
Diam. 6 cm. Signé LALIQUE vers 1899.
Acheté à R. LALIQUE par le Musée des
Arts Décoratifs au Salon de 1899.

Gold and enamel head of peacock
brooch with five moonstones
Diameter 6 centimeters. Signed LALIQUE
circa 1899. Purchased from R. LALIQUE
by the Decorative Arts Museum at the
1899 Exhibition.

Navette motif tête de femme et ailes
de papillon
Métal et or émaillé.
Long. 9 cm. Signé LALIQUE vers 1900.

Marquise
Motif: woman's head and butterfly's wings.
Metal and enamelled gold.
Lenght 9 centimeters. Signed LALIQUE
circa 1900.

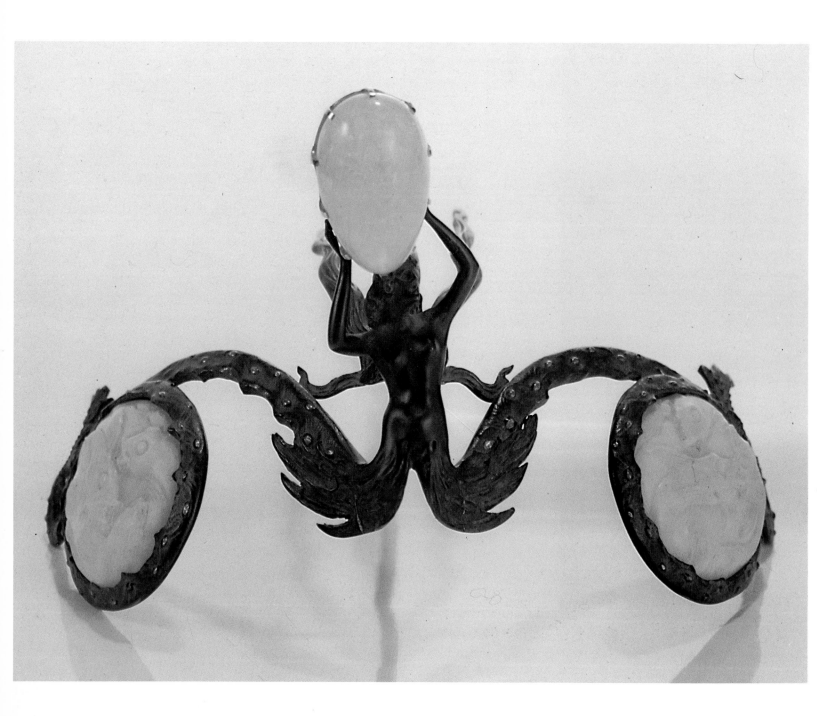

Broche
Profil de femme sur aile de libellule.
Or, émaux verts et violets. Visage sculpté
en pierre dure. Une perle baroque en
pendeloque.
Larg. 7 cm. Signé LALIQUE.

Brooch
Woman's profile on dragonfly wing.
Gold, green and violets enamels. Face carved
out of gemstone. Pendant baroque pearl.
Width 7 centimeters. Signed LALIQUE.

Coiffure
*Une sirène en bronze semé de cabochons
d'émeraudes. Deux opales sculptées de
poissons et une opale en forme d'amande.
Long. 14 cm. Signé LALIQUE.*

Head-dress
*Bronze siren spangled with emeralds cut
cabochon. Two opals carved as fish and one
almond-shaped opal.
Length 14 centimeters. Signed LALIQUE
circa 1900.*

Broche d'épaule « Chardons »
Or émaillé serti de diamants. Au centre,
une aigue marine. Les chardons sont en
cristal taillé et émaillé.
Long. 14,3 cm. Signé LALIQUE.

"Thistle" shoulder brooch
Enamelled gold set with diamonds.
An aquamarine in the center. The thistles
are cut enamelled crystal.
Lenght 14 centimeters. Signed LALIQUE.

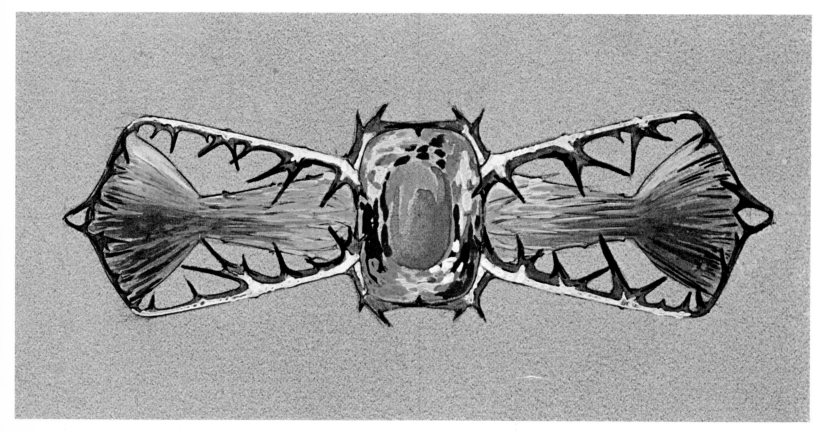

Pendentif « Femmes aux bulles de savon »
Or émaillé et opales. Dessin original.
Haut. 5,05 cm. Signé LALIQUE.

"Women and soap bubbles" pendant
Enamelled gold and opals. Original design.
Height 5 centimeters. Signed LALIQUE.

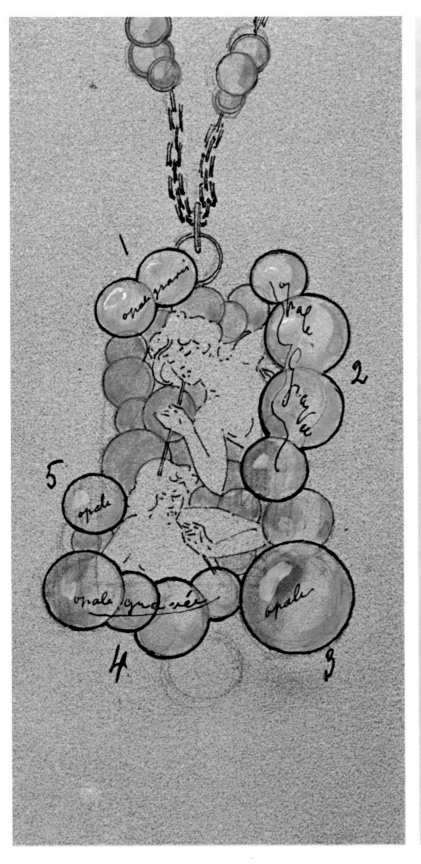

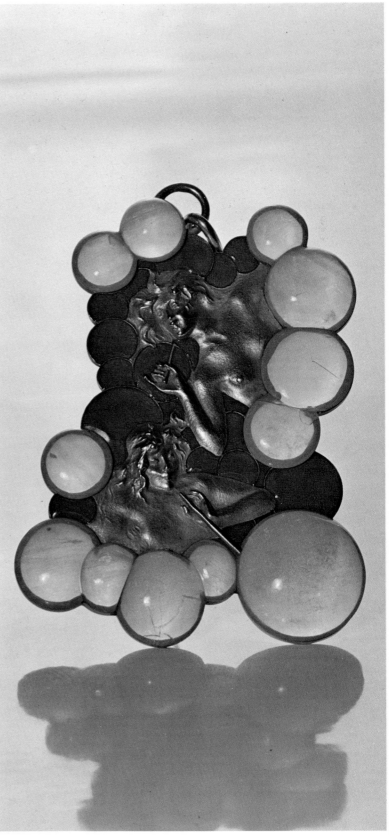

Broche cyclamens
(pâte de verre, or et émail).
Long. 8 cm. Signé LALIQUE

Cyclamen brooch
(paste, gold and enamel).
Lenght 8 centimeters. Signed LALIQUE.

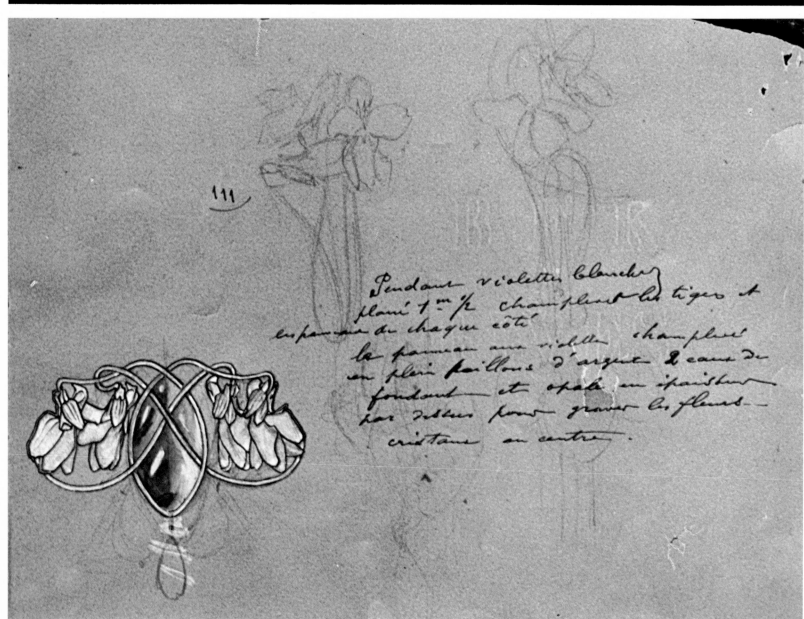

Broche articulée or et argent oxydé noir
Emaux marron et blanc.
Long. 15 cm. Signé LALIQUE 1902.

Gold and black oxidized silver jointed
brooch
Brown and white enamels.
Length 15 centimeters. Signed LALIQUE
1902.

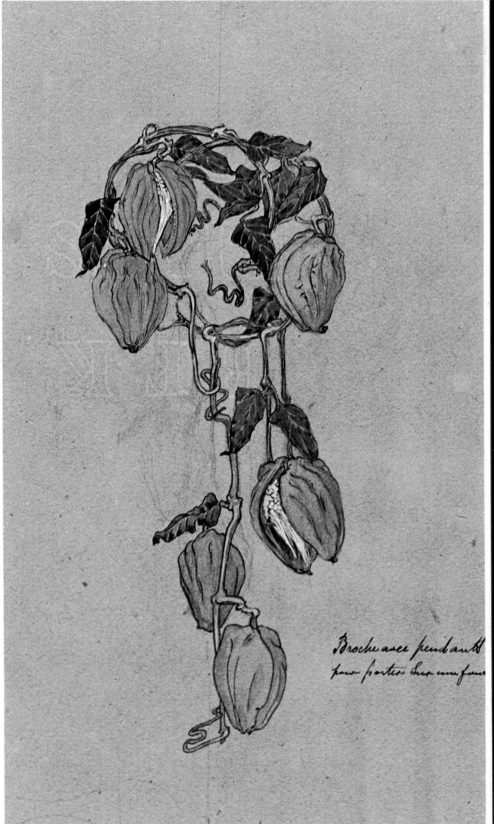

RENE LALIQUE 20 RUE THERESE PA

DESSINS DE RENÉ LALIQUE

Dessins originaux et projets de bijoux par René LALIQUE.
Gouaches sur papier végétal. Collection Marc LALIQUE.

Original designs and preliminary sketches of jewels
by René LALIQUE. Painted in gouache on vegetable
paper, collection: Marc LALIQUE.

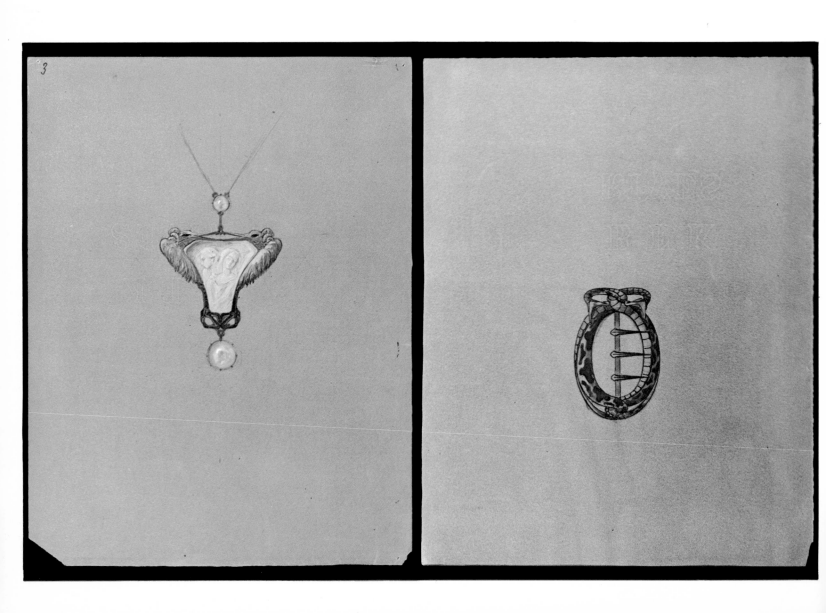

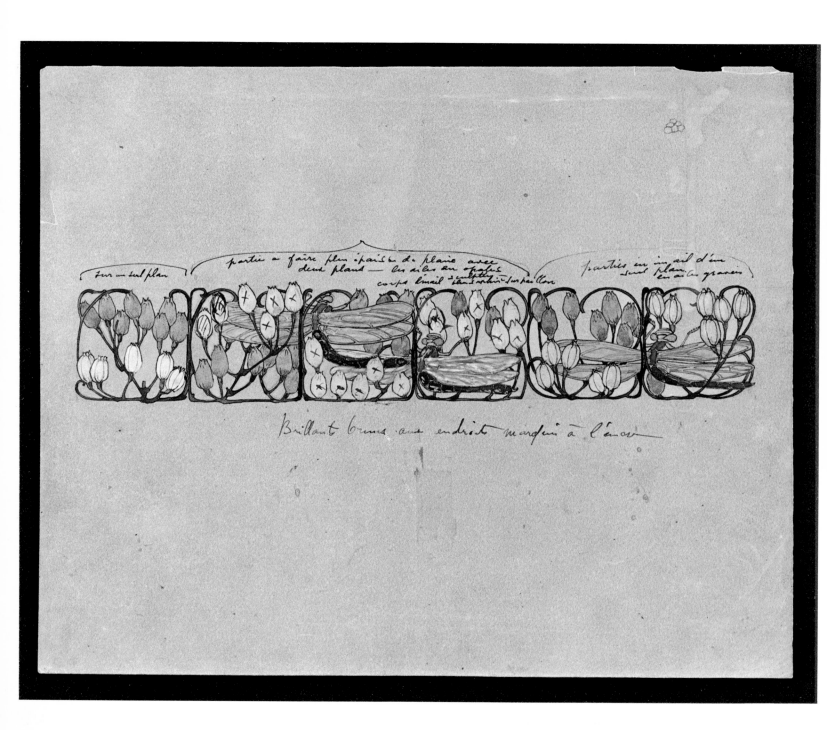

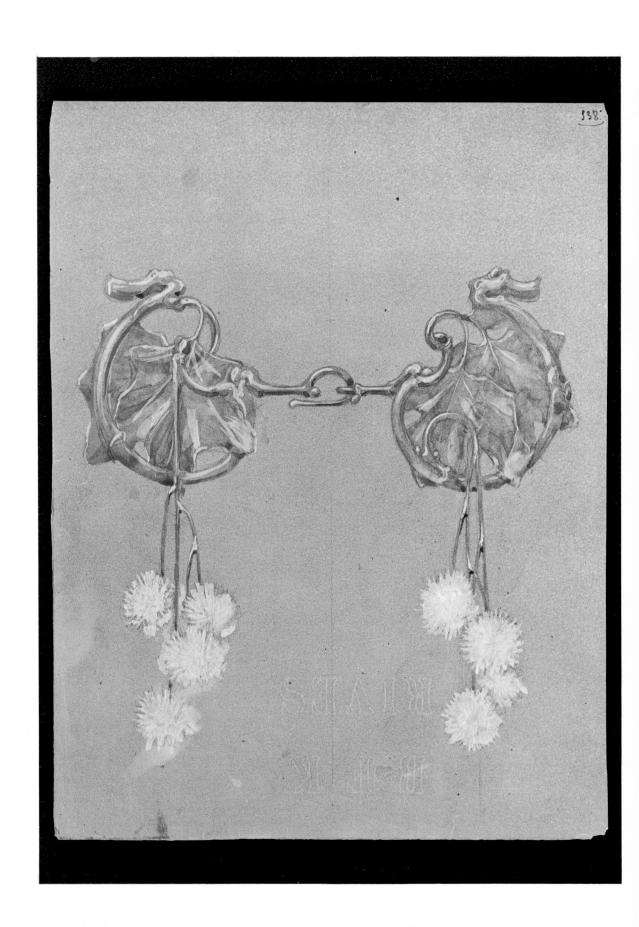

88

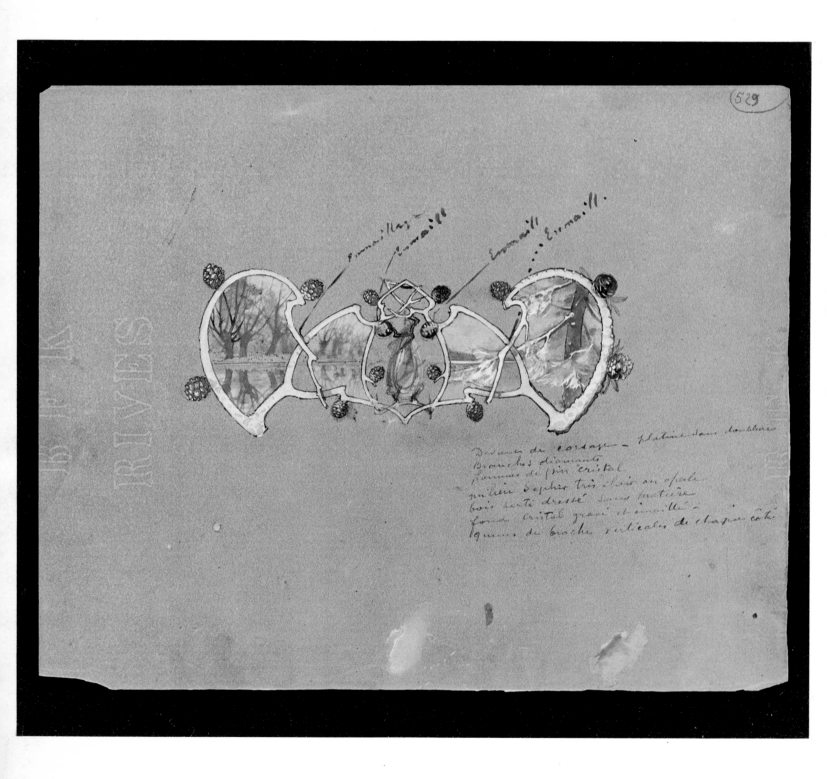

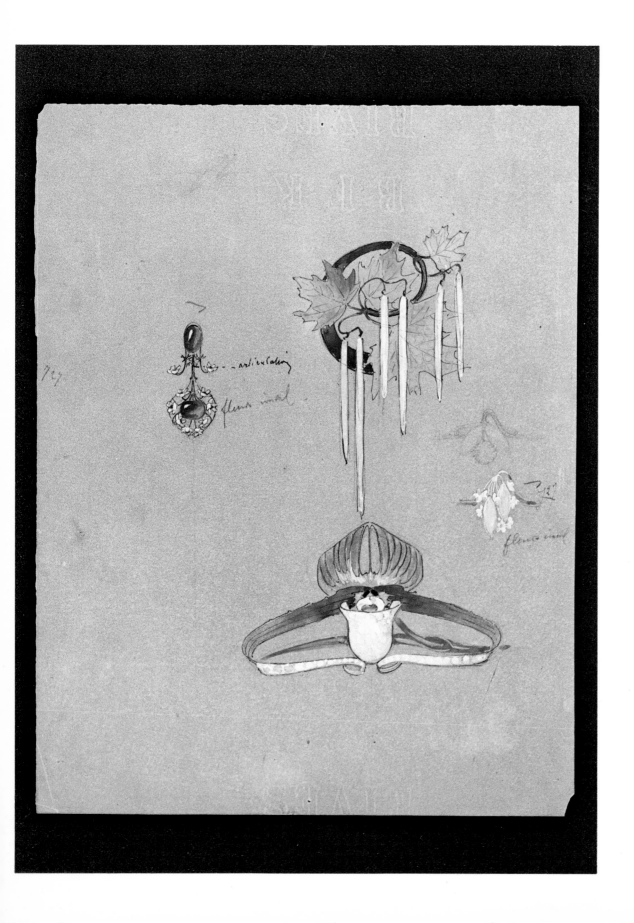

parties très claires et parties foncées emaillées
sur fond
les clairs sur paillon
les cloisons or

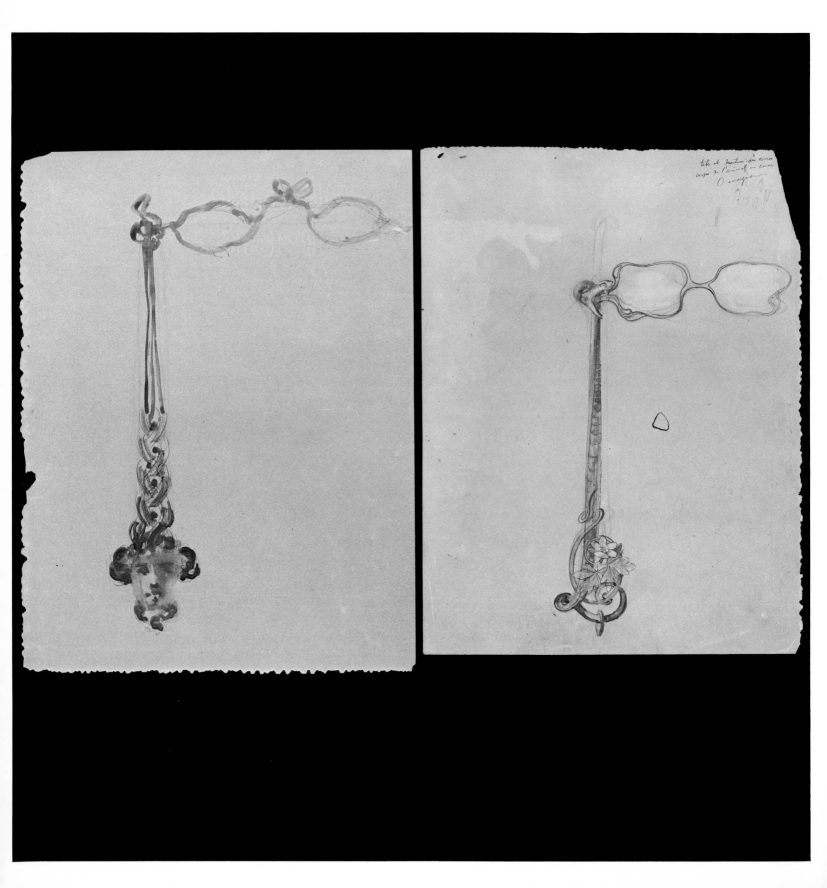

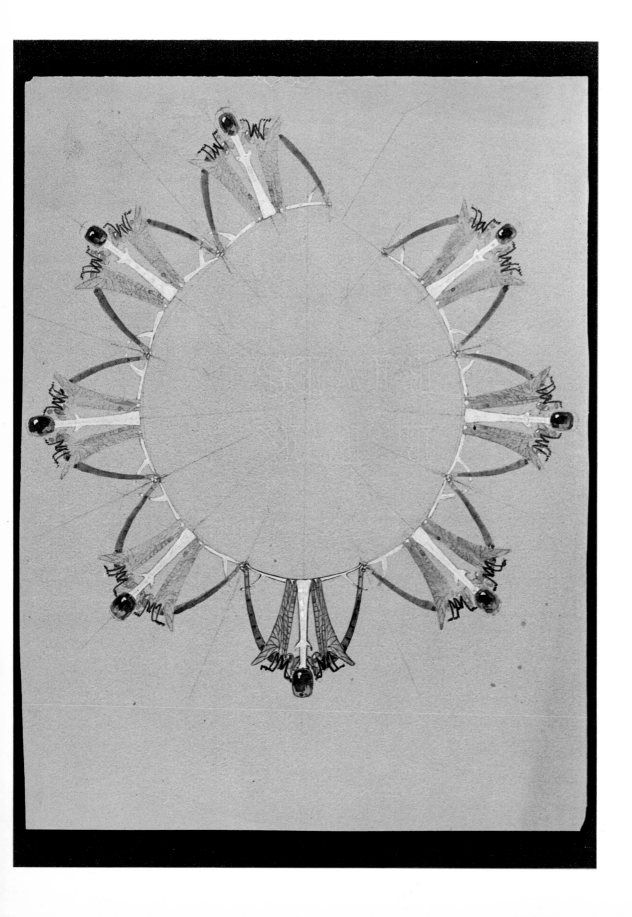

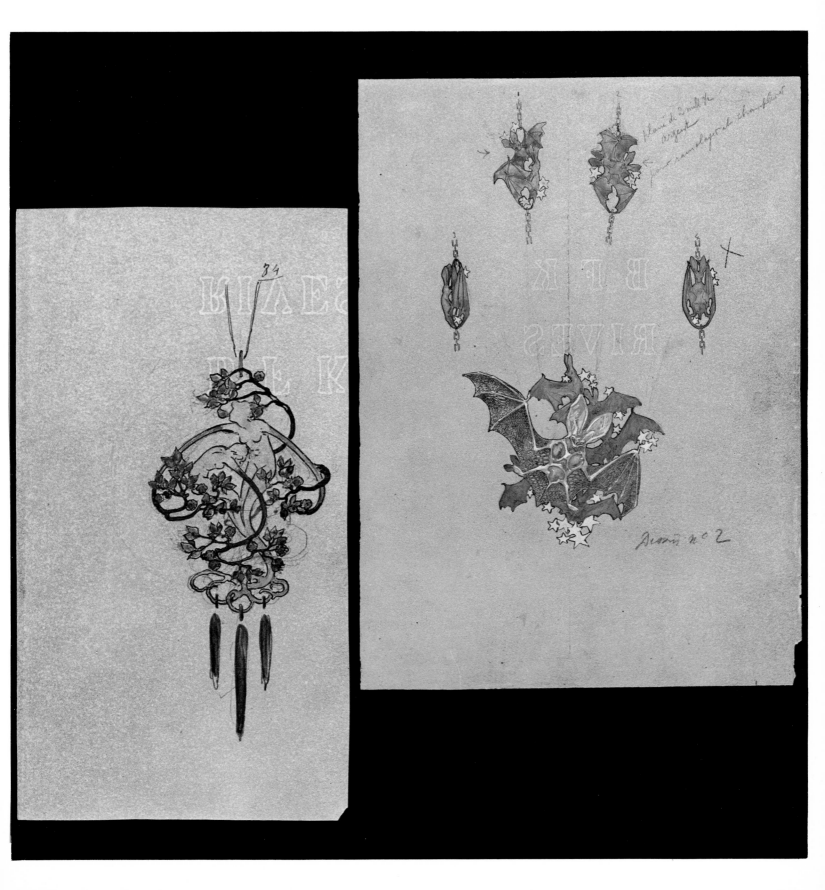

96

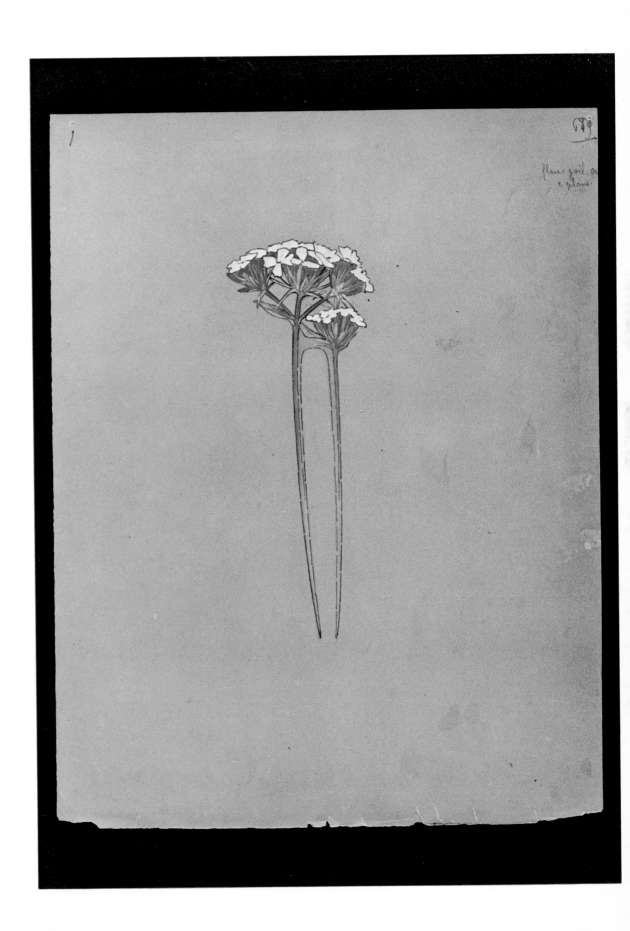

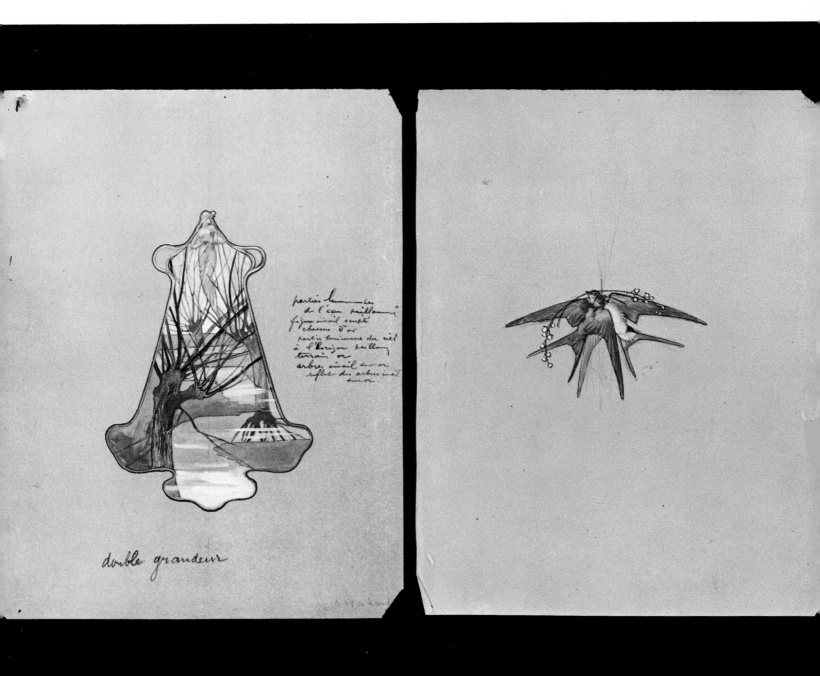

parties lumineuses
de l'eau scintillantes
figure émail sculpté
chasure d'or
partie lumineuse du ciel
à l'horizon paillons
terrain or
arbres émail sur or
reflet des arbres émail
sur or.

double grandeur

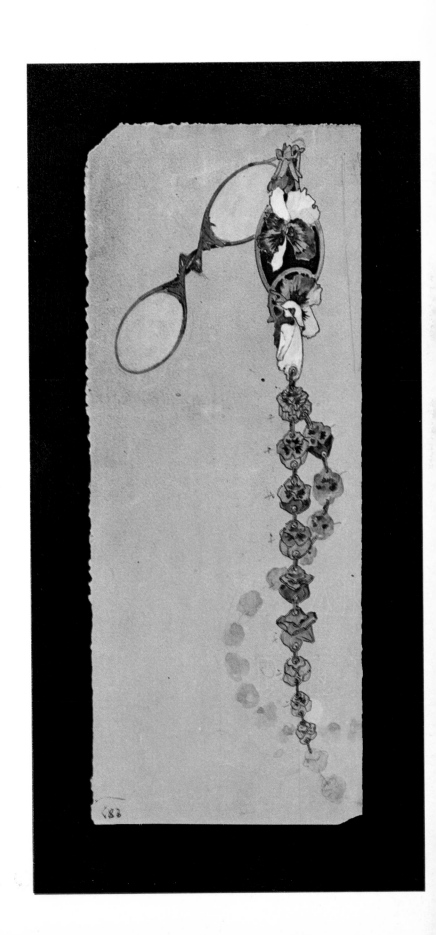

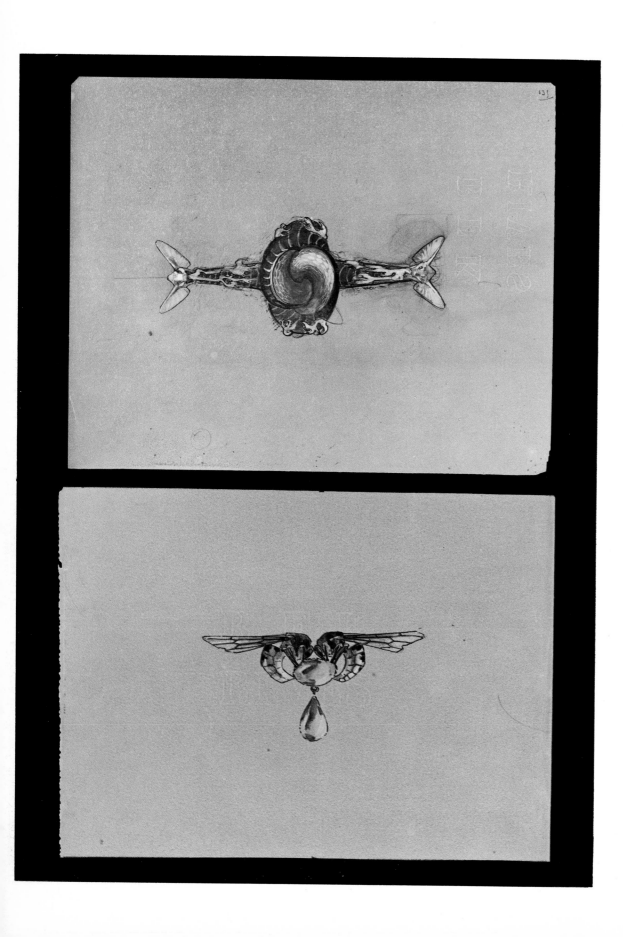

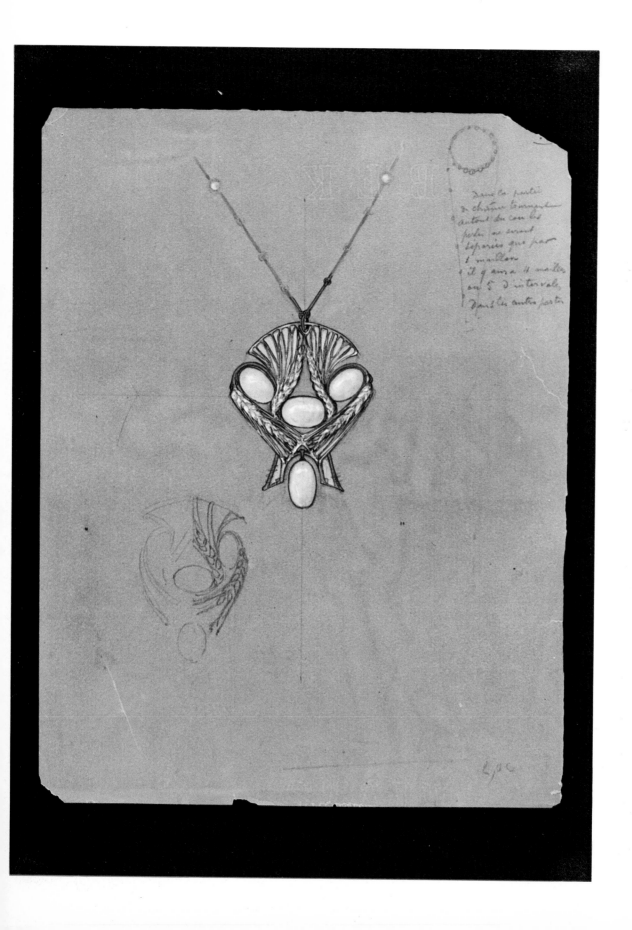

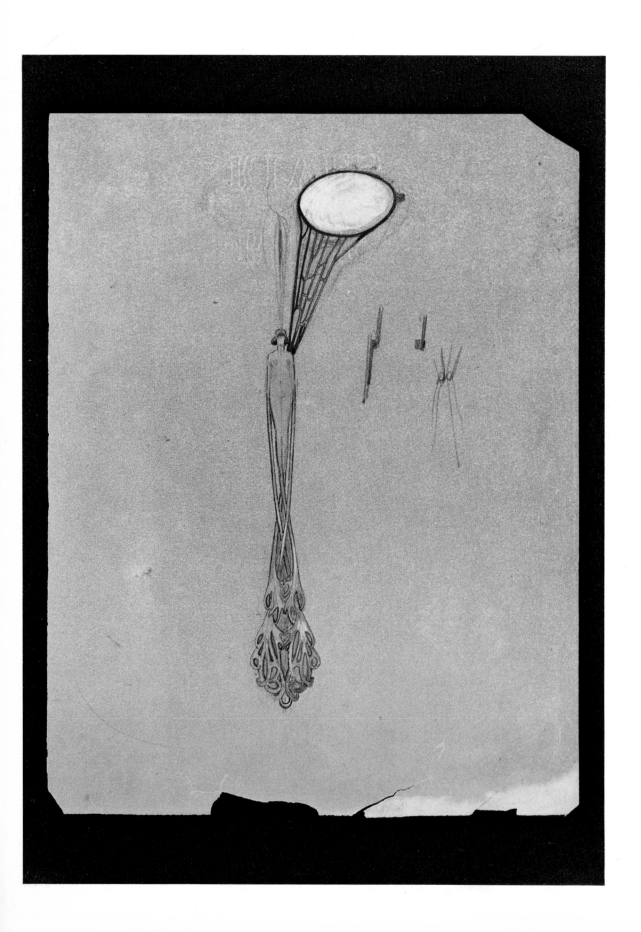

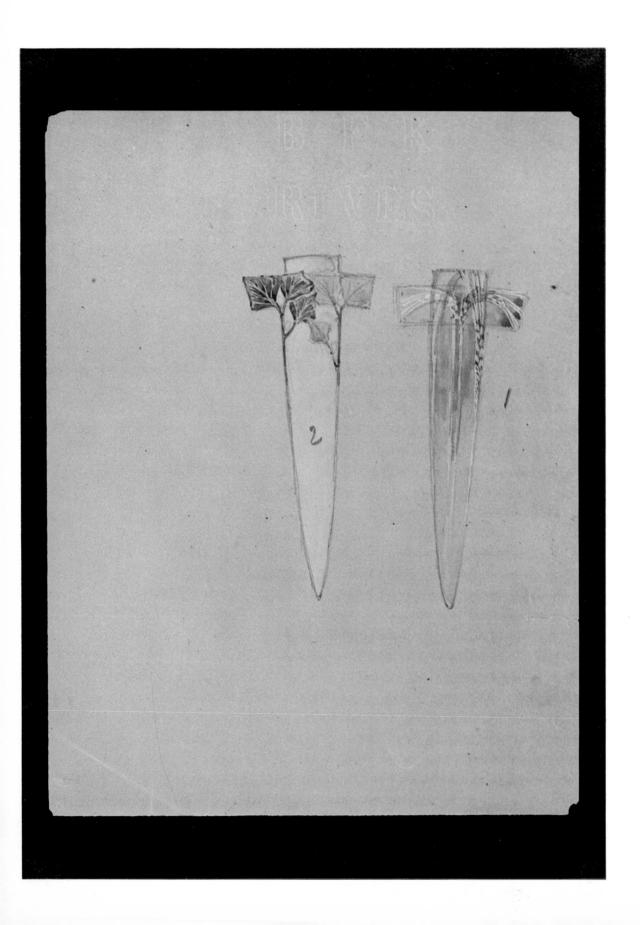

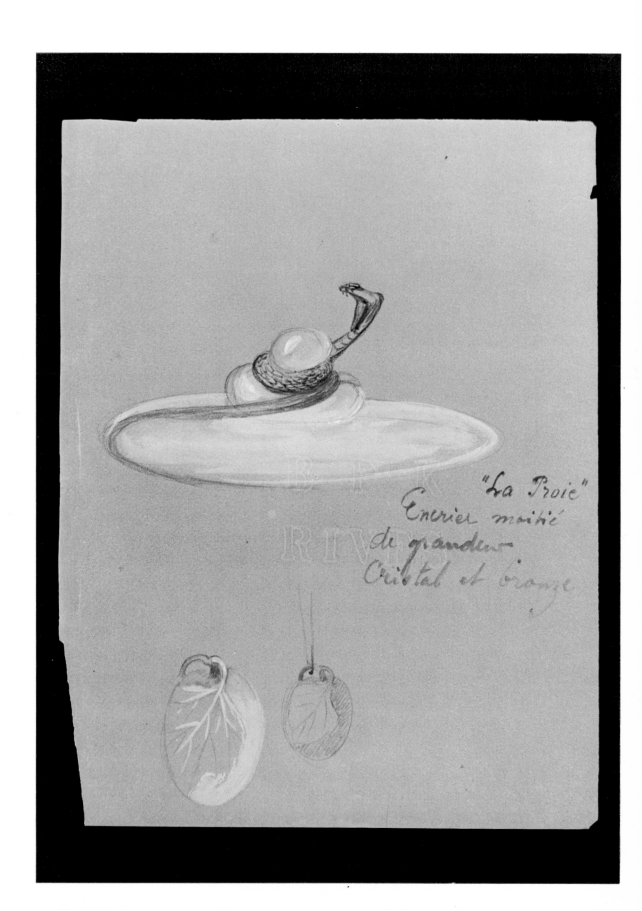

"La Proie"
Encrier moitié
de grandeur
Cristal et bronze

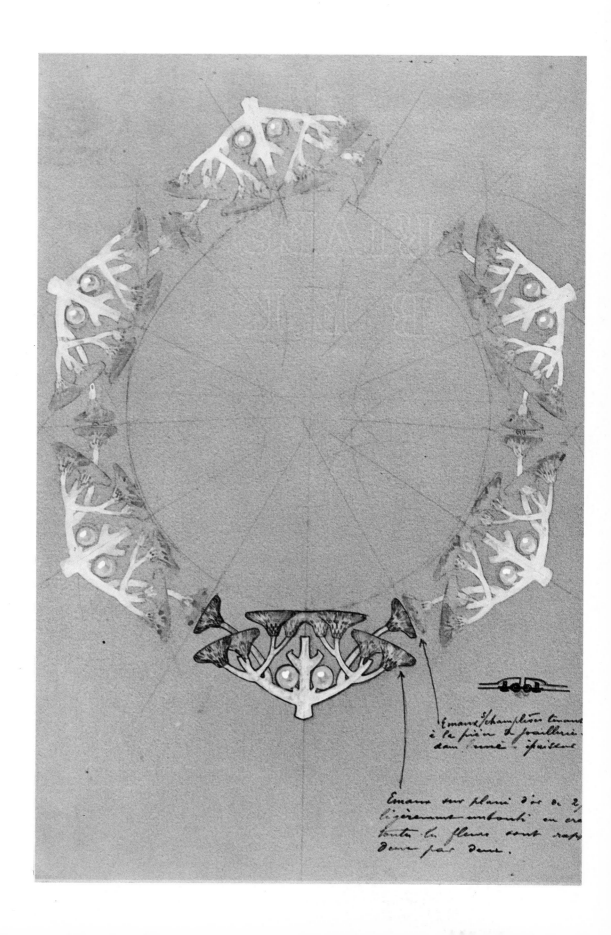

Émaux/champlevés tenant
à la fixe de joaillerie
dans l'une - épaisseur

Émaux sur plaui d'or de 2/
légèrement embouti en or
toutes les fleurs sont rapp
deux par deux.

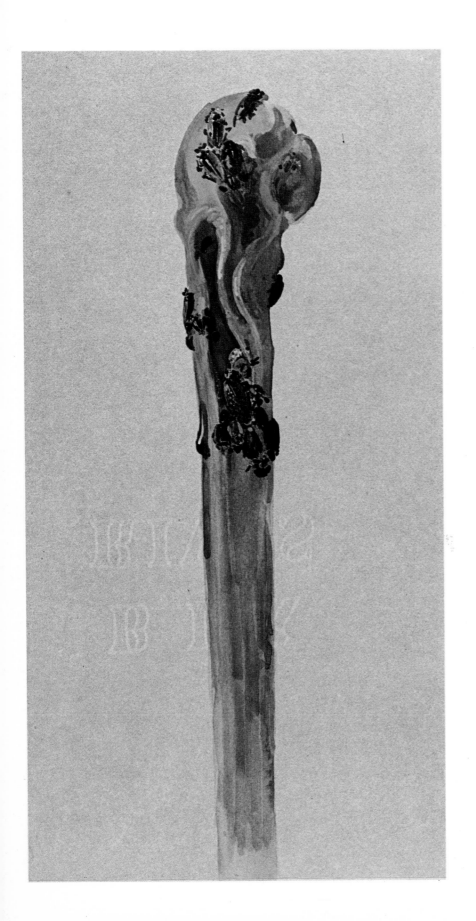

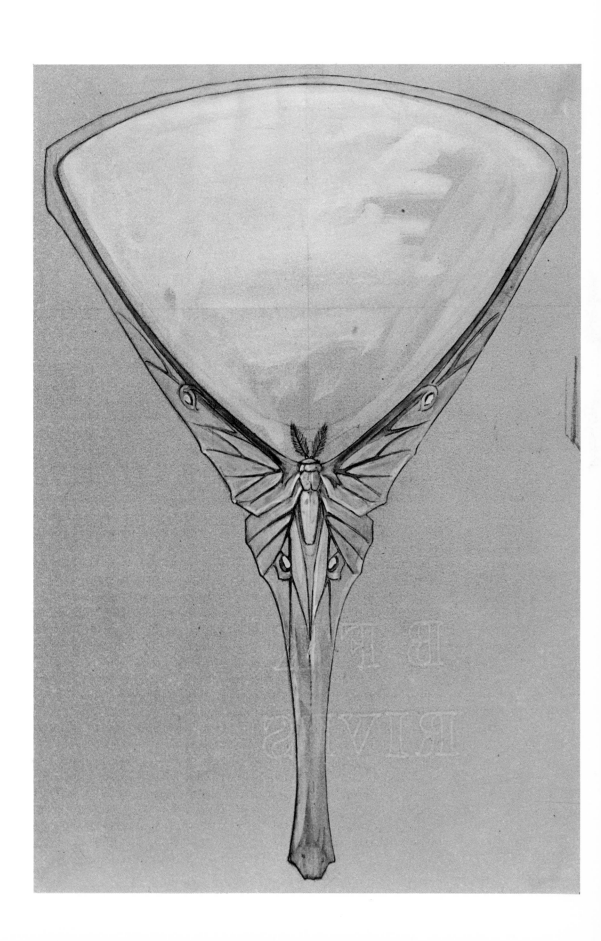

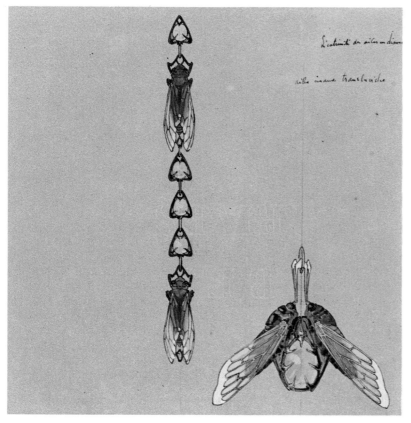

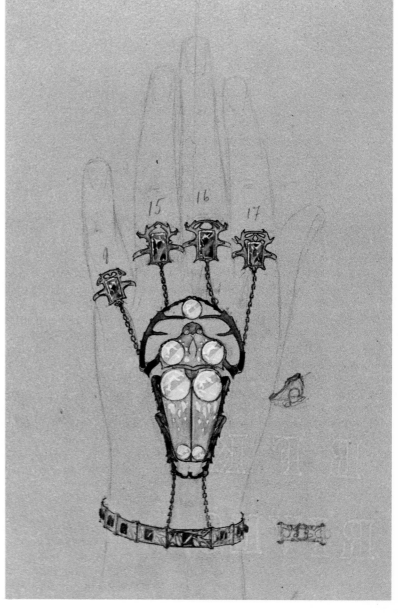

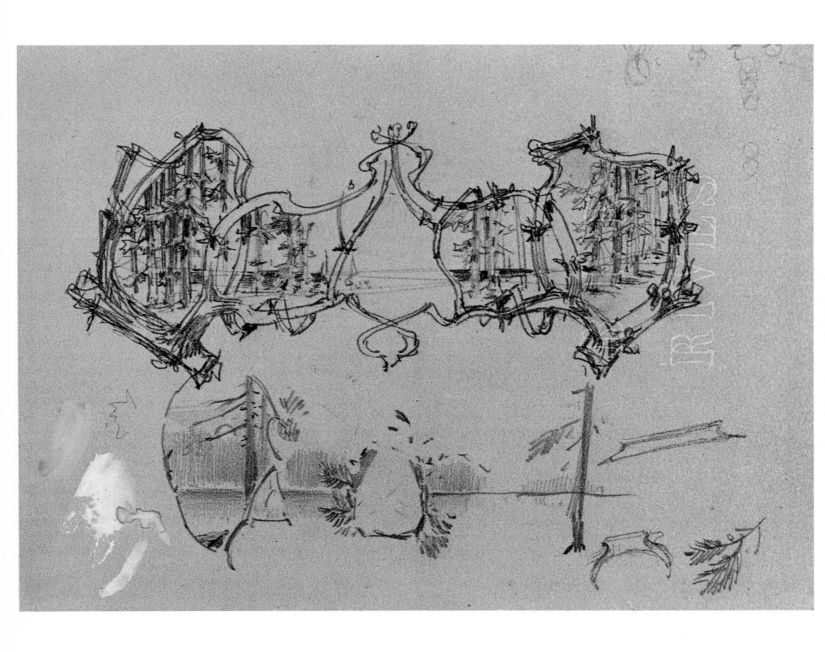

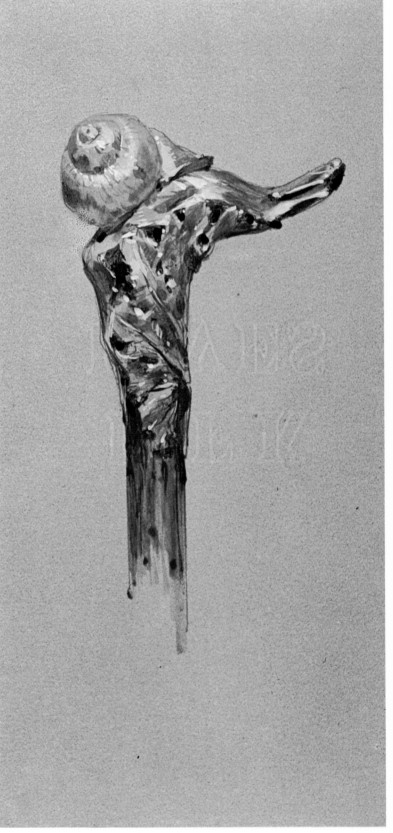

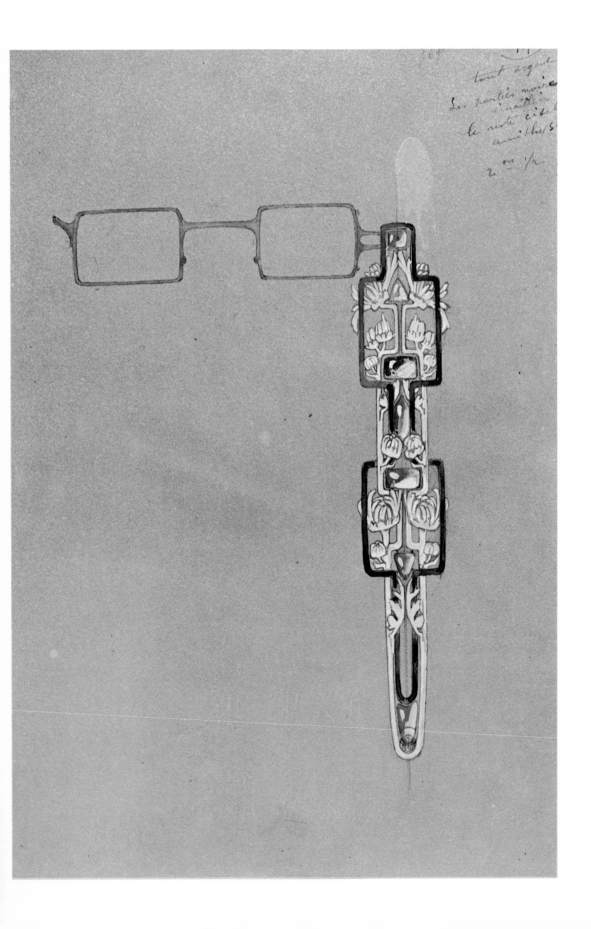

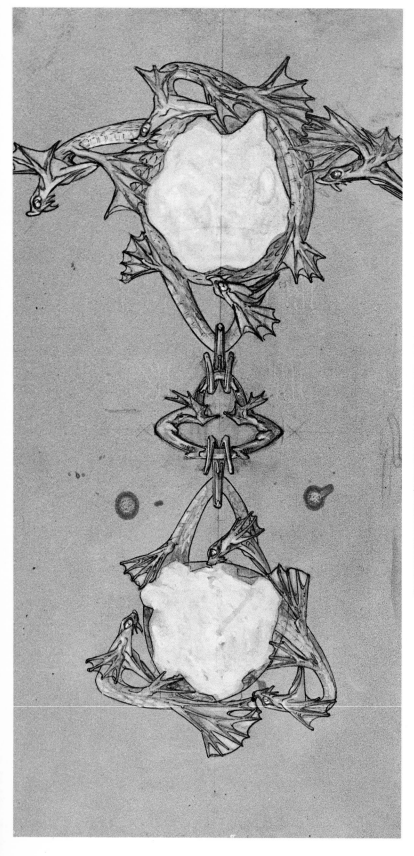

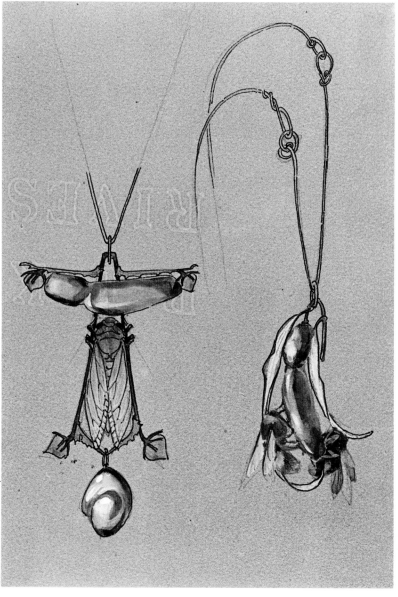

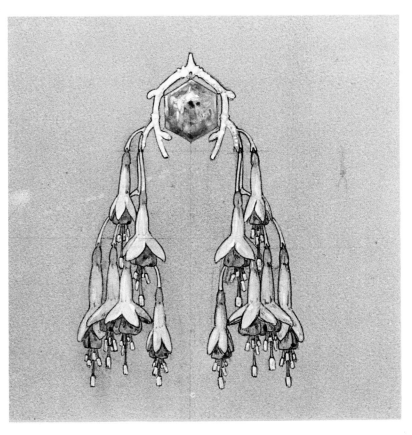

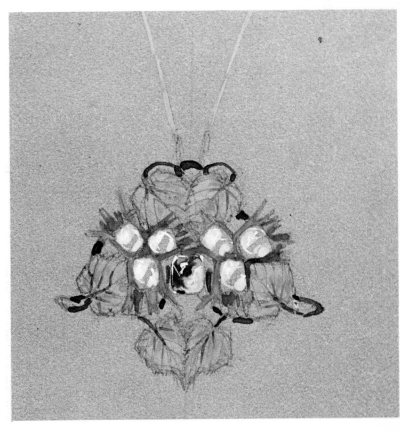

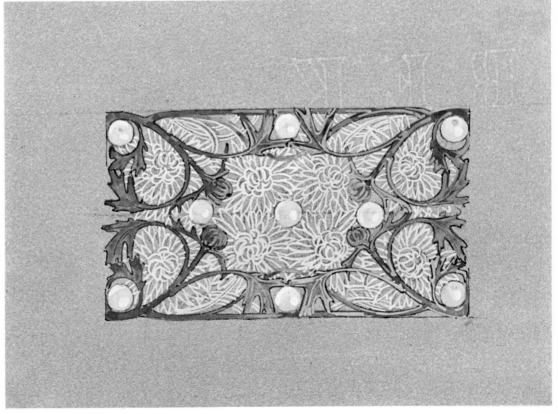

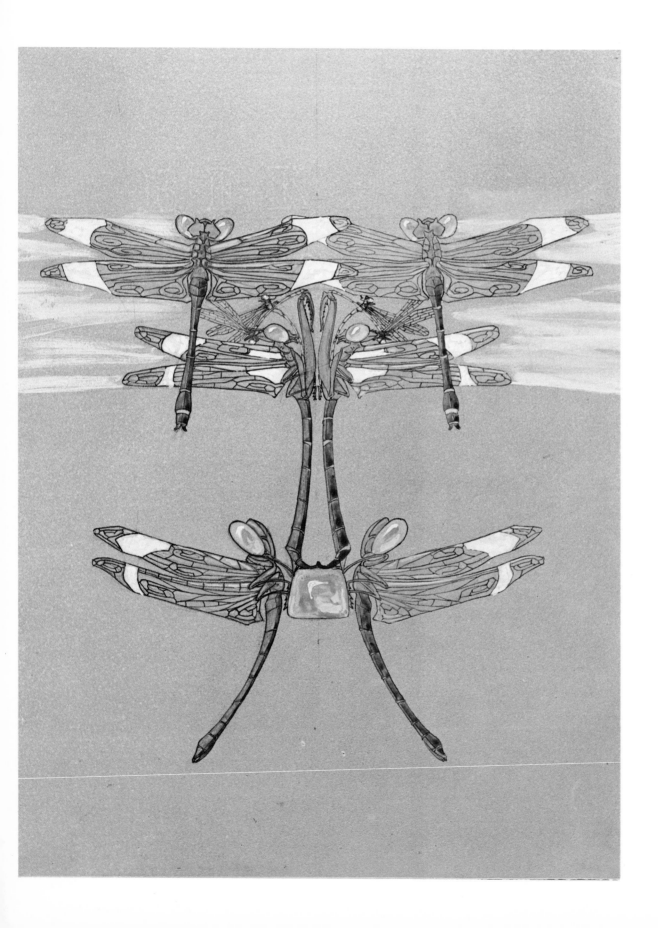

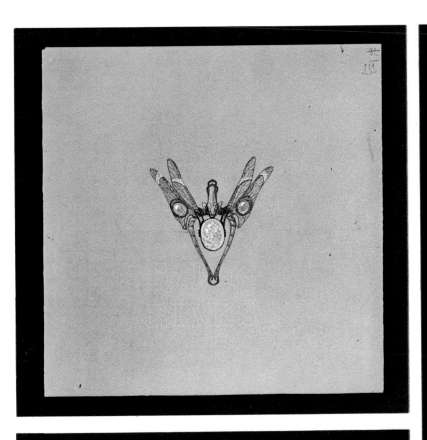

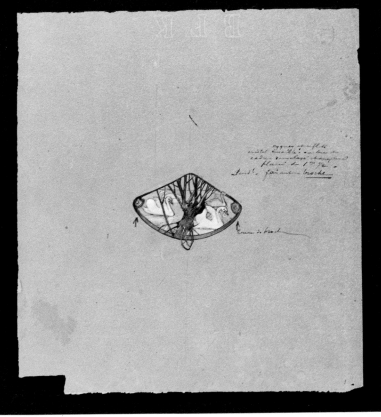

RENÉ LALIQUE ET L'ARCHITECTURE

Fontaine créée pour la Ville de Paris
Rond-Point des Champs-Elysées. Motif pigeon cristal incolore satiné.

Fountain made for the City of Paris
Rond-Point des Champs-Elysées. Pigeon motif in colorless satiny crystal.

Fontaine créé pour l'Exposition des Arts Décoratifs de 1925
Verre incolore

Fountain made for the 1975 Decorative Arts Exhibition
Colorless glass.

Panneau décoratif. Femme aux raisins
Verre incolore satiné.

Decorative panel. Woman with grapes
Colorless satiny glass.

Ancienne porte des Salons d'exposition situés au rez-de-chaussée du 40 Cours Albert-Ier

Door of display room on the ground floor at 40 Cours Albert I Paris.

Porte de glace gravée située à l'intérieur
de l'immeuble du 40 Cours Albert-Ier.

Etched glass interior door, 40 Cours
Albert I, Paris.

Baignoire exposée au Salon
des Décorateurs en 1935
Verre incolore satiné.

**Bathtub shown at the 1935 Decorators
Exhibition**
Colorless satiny glass.

Salle à manger présentée au pavillon
René LALIQUE Exposition Universelle
1925.

Dining-room in the René LALIQUE
Building at the 1925 World Fair.

Salle à manger. Exposition des Arts Décoratifs 1925
Murs en marbre gravé. Table, chandeliers et service de verres de LALIQUE.

Dining room. 1925 Decorative Arts Exhibition
Etched marble walls. LALIQUE glass table chandeliers and dinner service.

Meuble : cave à liqueur
Ebénisterie avec incrustation de panneaux
de verre incolore satiné. Motif : enfants.

Liquor cabinet
Cabinet work with colorless satiny glass
panel inlay. Motif: children.

Fontaine. Exposition Universelle 1937
Verre incolore.

Fountain. 1937 World Fair
Colorless glass.

Fontaine créée pour la Ville de Marseille
Motif poissons. Cristal incolore brillant.

Foutain made for the City of Marseille
Fish motifs. Shiny colorless crystal.

Table en glace gravée

Etched glass table

Table verre gravé
Haut. 80 cm.

Etched glass table
Height 80 centimeters.

Fontaine
Salle à manger de Mme Paquin.

Fountain
Mrs. Paquin's dining room.

Lustre monumental
*créé également par Marc LALIQUE pour
cette exposition.
Cristal incolore satiné.*

Monumental chandelier
*designed by Marc LALIQUE for the same
exhibition.
Satiny colorless crystal.*

Grande table chêne
*Table et service de chasse motif chêne.
Créé par Marc LALIQUE à l'occasion de
l'exposition de « L'Art du Verre » en 1951.
Pavillon de Marsan.*

Large oak table
*Oak motif hunt table and dinner service.
Designed by Marc LALIQUE for the 1951
"Art of Glass" exhibition in the Louvre.*

Lustre du paquebot « Normandie »
(détail).

Chandelier aboard the "Normandie"
(detail).

Salle à manger du paquebot "Normandie"
Elements d'éclairage en verre incolore satiné.

Dining room on the "Normandie"
Satiny colorless glass lighting fixtures.

Elément d'un panneau décoratif créé
pour un wagon Pullman (Cie des
Wagons-lits) mis à la disposition du
Président de la République Alexandre
Millerand en 1923
Motif laurier verre incolore satiné.

Elément of a decorative panel designed
for French President Millerand's sleeping
car in 1923
Laurel motif. Satiny colorless glass.

Bénitier de l'Eglise Saint-Hélier à Jersey
Verre incolore satiné.

Holywater font in the Church of St Hélier
on Jersey
Satiny colorless glass.

Vue d'ensemble Eglise Saint-Hélier
à Jersey

General view of the Church of
Saint-Hélier on Jersey

Maître-Autel de l'Eglise Saint-Hélier à Jersey
Détail à voir.

High altar of the Church of St Hélier on Jersey
The detail is worth noting.

148

Vitraux Fleurs de Lys. Eglise Saint-Hélier à Jersey
Verre incolore satiné.

Fleurs de Lys stained glass windows Church of St Hélier on Jersey
Satiny colorless glass.

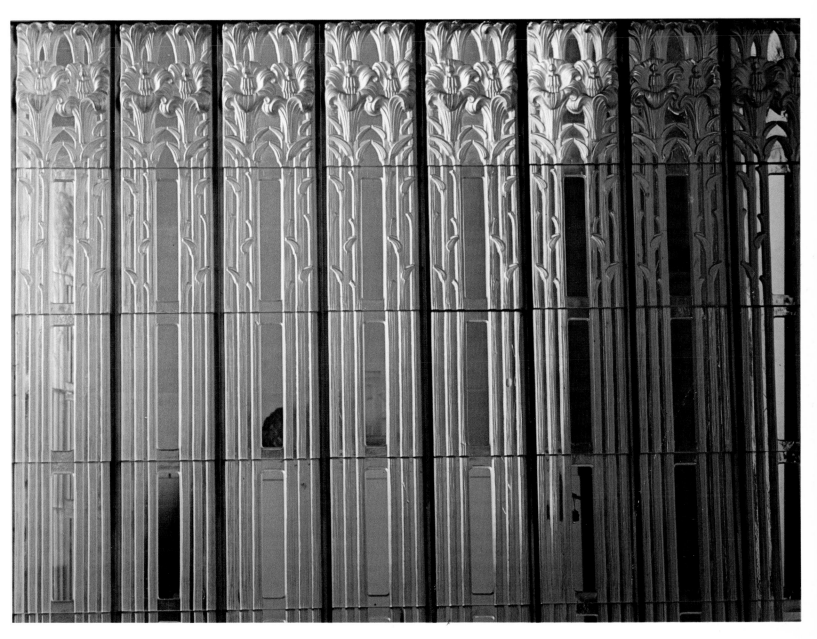

**Vitraux Fleurs de Lys. Eglise Saint-Hélier
à Jersey**
Verre incolore satiné.

**Fleurs de Lys windows. Church of
St Hélier on Jersey**
Satiny colorless glass.

Poignée de porte. Saint-Hélier, Jersey
Verre incolore satiné et repoli.

Door handle. St Hélier, Jersey
Colorless satin finish and repolished glass.

Petit autel de l'église Saint-Hélier
à Jersey
Verre incolore satiné et repoli.

**Little alter of St Hélier's church,
Jersey**
Colorless satin finish and repolished glass.

Immeuble du 40 Cours Albert-Ier
(ex Cours la Reine)
construit en 1905 par René LALIQUE

Building at 40 Cours Albert I
(formerly Cours la Reine), Paris,
constructed by René LALIQUE in 1905.

La porte de l'immeuble du 40 Cours Albert-Ier
Dalles de verre représentant des branches de sapins.

The door of the building at 40 Cours Albert I, Paris
Glass plaques representing fir branches.

Lustre de l'immeuble du 40 Cours Albert-Ier
Verre incolore satiné.

Chandelier in the building at 40 Cours Albert I, Paris
Satiny colorless glass.

RENÉ LALIQUE ET LE VERRE

Une originalité de René Lalique consiste à introduire en joaillerie l'emploi du verre. Il en recherche les effets de transparence, de semi-transparence ou de matité. Il le grave, il le sculpte, il en fera un usage sans cesse croissant : tandis que les premières figures féminines de ses bijoux sont modelées en métal ou en pierre dure, on les retrouve ensuite de plus en plus fréquemment gravées dans le cristal avec une technique permettant les effets les plus particuliers.

Il l'utilise avec tous les procédés existants, du verre fondu au verre taillé. Il en approfondit toutes les possibilités. En réunissant les techniques de fusion de gravure et de polissage, il parviendra a créer ces œuvres si originales et caractéristiques auxquelles son nom est resté lié.

N'ayant pas encore de four de verrerie, il achète des morceaux de cristal très riche en plomb pour faciliter la fonte et, à l'aide d'un dispositif de forge, il coule la matière refondue dans des moules réfractaires dont le sujet à obtenir avait d'abord été modelé en cire. Ces pièces uniques s'appelaient « cire perdue », puisque la cire était fondue pour être remplacée par le cristal.

Ce n'est qu'en 1909 qu'il fit l'acquisition d'une toute petite verrerie située à Combs-la-Ville près de Paris. Il put y produire à la demande de Coty des flacons de parfum dont les conceptions originales ont modifié, non seulement les présentations de celui-ci, mais contribuèrent à la réputation de la marque. Ces nouveaux moyens lui permirent d'étendre ses travaux à des objets mobiliers tels que lampes, vases, sujets lumineux. La guerre de 1914 obligea la Verrerie de Combs-la-Ville à arrêter son activité, mais dès 1915, les besoins d'articles de laboratoires pour le service de santé des armées, lui permirent de reprendre ses ouvriers spécialisés mobilisés et de rallumer le four.

Aussi, dès la cessation des hostilités, les productions de flacons de parfum reprirent, et de nouvelles créations étant de plus en plus demandées, la Verrerie de Combs-la-Ville devint trop petite.

L'Alsace redevenue française, René Lalique fut encouragé à y établir une cristallerie. La région nord de l'Alsace voisine de la Lorraine étant un centre verrier, l'administration domaniale lui céda un terrain à Wingen-sur-Moder. La cristallerie y fut construite et son premier four allumé en 1921.

C'est à l'exposition des Arts Décoratifs de 1925 que la Cristallerie Lalique présente au public ses premières réalisations dûes aux productions de sa Cristallerie d'Alsace.

Ce sont d'une part, des présentations hardies, utilisant le verre comme élément de décoration en architecture : fontaine monumentale, plafond lumineux, etc., d'autre part, des créations sans cesse croissantes en nombre, destinées à la table : verres en forme de calice, coupes, assiettes à dessert — auxquels s'ajoutèrent des vases, des figurines, des objets d'ornement — dont l'inspiration était recherchée dans les éléments de la nature, oiseaux, feuillage, visages. La matière : du verre opalescent ou translucide alternant avec des parties satinées souvent bistrées par un émail.

Entre cette époque et la Seconde Guerre mondiale, la technique des fabrications évoluera peu. La réputation des créations de René Lalique s'étendit dans le monde entier, des grandes œuvres architecturales de décoration furent réalisées :

1920 : Décoration de la salle à manger du paquebot « Paris ».
1922 : Service de table du Président de la République.
1925 : Exposition des Arts Décoratifs - Fontaine centrale.
      A la suite de cette exposition, le 30 avril 1926 très exactement, René Lalique fut nommé au grade de Commandeur de la Légion d'Honneur.
1930 : Maître-autel au couvent de la Délivrande à Caen (Calvados).
1932 : Maître-autel, vitraux, grille de chœur, église Saint-Hélier, Ile de Jersey.
1936 : Salle à manger du paquebot « Normandie ».
1938 : Service de table offert par la Ville de Paris aux Souverains britanniques.

RENÉ LALIQUE AND GLASS

Rene Lalique was the first one to introduce glass in jewelry. He sought effects of transparency, semi-transparency and mattness thereby. He etched it, sculptured it, made ever increasing use of it: while the initial feminine figures in his jewels are modelled in metal or stone, they are from then on more and more frequently etched in glass with a technic providing the most refined effects.

He used it with all existing pressed and cut glass technics. He explored all the potentials of glass and, combining melting, etching and polishing, he succeeded in creating the original and characteristic works with which his name is linked.

Before acquiring a glass furnace, he bought pieces of heavily leaded crystal to facilitate the melting, and, with a forge installation, he poured the melted material into refractory molds, the pattern of which had previously been modelled in wax. These one of a kind pieces were called "lost wax". The wax being melted to be replaced by glass.

Not until 1909 did he acquire a small glass works in Combs-la-Ville, near Paris. There he produced perfume bottles for Coty, the unusual design of which had a lasting impact on perfume packaging.

These new facilities enabled him to expand his work to accessories such as lamps, vases and light fixtures. The plant closed when World War I broke out, but in 1915 the need for laboratory equipment for the armed forces medical corps enabled him to obtain the discharge of his skilled workers and to refire the furnace.

After the war, the production of perfume bottles was resumed and as new creations were in ever greater demand, the firm outgrew the Combs-la-Ville glass works.

Alsace having been returned to France, Rene Lalique was encouraged to establish a crystal works there. The northern part of Alsace, adjoining Lorraine, was a glass-making center, and the government sold him a site in Wingen-sur-Moder. After construction of the crystal works, the first furnace was fired up in 1921.

At the 1925 Decorative Arts Exhibition, the Lalique Crystal showed its first products from the Alsace Works.

They range from sturdy decorative architectural pieces — monumental fountain, luminous ceiling — to familiar tableware items such as new chalice shaped glasses, cups and dessert plates, vases, figures and decorative accessories of which the design inspiration was sought in nature: birds, leaves, faces. The material was opalescent or translucent glass alternating with satin finish parts darkened in some cases with enamel.

In the period between the two wars, there was little change in the manufacturing technic. The reputation of Rene Lalique's creations spread all over the world, and large decorative architectural works were executed:

1920 : Decoration of the dining room of the steamship "Paris".
1922 : Dinner service for the President of France.
1925 : Decorative Arts Exhibition - central Fountain.
      After this Exhibition — on April 30 1926 to be precise — Rene Lalique was made a Commander of the Legion of Honor.
1930 : High altar in the Delivrande, Convent in Caen (Calvados).
1932 : High altar, stained glass windows, chancel screen, Church of Saint-Helier, Island of Jersey.
1936 : Dining room of the "Normandie".
1938 : Dinner service presented by the City of Paris to King George VI and Queen Elizabeth.

Verre « Vrilles »
Verre incolore satiné. Bague verre noir.
Signé R. LALIQUE.

"Tendrils" glass
Colorless satiny glass. Black glass ring.
Signed R. LALIQUE.

Vase « Lézards et bleuets »
Verre incolore satiné. Signé R. LALIQUE.

"Lizards and bluets" vase
Satiny colorless glass. Signed R. LALIQUE.

Vase « Vrilles et raisins »
Verre incolore satiné. Signé R. LALIQUE.

"Tendrils and grapes" vase
Satiny colorless glass. Signed R. LALIQUE.

Vase « 4 masques »
Verre incolore satiné. Signé R. LALIQUE.

"4 masks" vase
Satiny colorless glass. Signed R. LALIQUE.

Carafe « Aubépine »
Verre incolore satiné.

"Hawthorn" decanter
Satiny colorless glass.

Verre motif « 4 grenouilles »
Verre incolore, motif satiné.
Signé LALIQUE.

"4 Frogs" glass
Colorless glass. Satiny pattern.
Signed R. LALIQUE.

Vase six figures et masques
Verre incolore satiné. Signé R. LALIQUE.

Vase with six figures and masks
Satiny colorless glass. Signed R. LALIQUE.

Verre « Frise de Lézards »
Verre incolore frise satinée.

"Lizard frieze" vase
Colorless glass satiny frieze.
Signed R. LALIQUE.

Vase « LEDRU »
Verre incolore satiné. Signé R. LALIQUE.

"LEDRU" vase
Satiny colorless glass. Signed R. LALIQUE.

Verre « COQ »
Verre incolore jambe émaillée.
Signé R. LALIQUE.

"ROOSTER" glass
Colorless glass. Enamelled stem.
Signed R. LALIQUE.

Carafe « MASQUES »
Verre incolore satiné. Signé R. LALIQUE.

"MASKS" Decanter
Satiny colorless glass. Signed R. LALIQUE.

Verre « COQ »
Verre incolore jambe satiné.
Signé R. LALIQUE.

"ROOSTER" glass
Satiny colorless glass stem.
Signed R. LALIQUE.

Carafe « SIRENES »
Verre incolore satiné. Signé R. LALIQUE.

"SIRENS" decanter
Satiny colorless glass. Signed R. LALIQUE.

Verre « Frise personnages »
Verre incolore satiné. Signé R. LALIQUE.

"Frieze" glass
Satiny colorless glass. Signed R. LALIQUE.

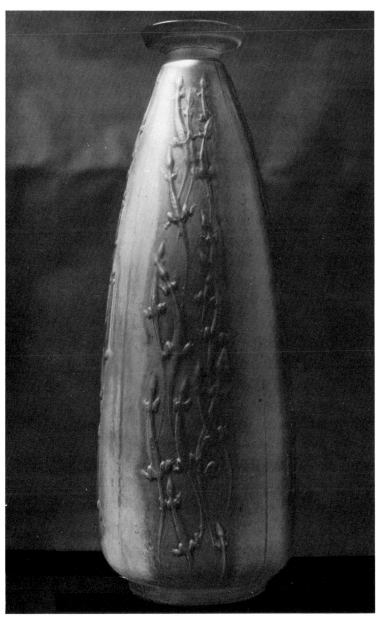

Vase « LÉZARDS »
Verre incolore satiné. Signé R. LALIQUE.

"LIZARDS" vase
Satiny colorless glass. Signed R. LALIQUE.

Vase « BOUCHARDON »
Verre incolore satiné. Signé R. LALIQUE.

"BOUCHARDON" vase
Satiny colorless glass. Signed R. LALIQUE.

Boîte danseuse
Verre incolore satiné.

Dancer box
Satiny colorless glass.

Statuette Sirène
Verre incolore satiné.

Siren statuette
Satiny colorless glass.

Service à orangeade « BAHIA »
Verre incolore satiné. Signé R. LALIQUE.

"BAHIA" orangeade set
Satiny colorless glass. Signed R. LALIQUE.

Carafe « MASQUE »
Verre incolore. Motif patine émaillée en brun.

"MASK" decanter
Colorless glass. Brown enamelled patina pattern.

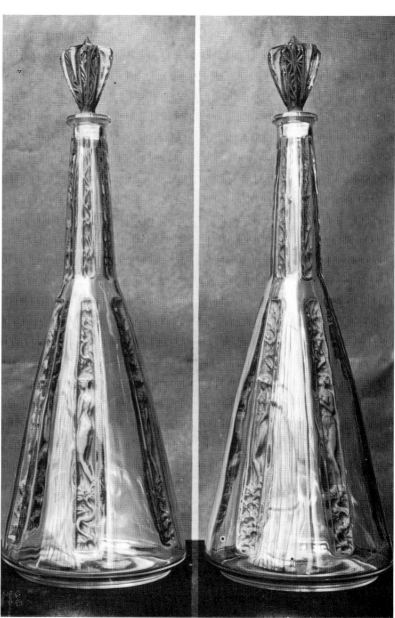

Carafe six figurines
Verre incolore satiné.

Decanter with six figurines
Satiny colorless glass.

Carafe 2 figurines gravées
Verre incolore. Signé R. LALIQUE.

Decanter with 2 etched figurines
Colorless glass. Signed R. LALIQUE.

Carafe « EPINE » avec son gobelet
Verre incolore satiné

"THORN-BUSH" decanter and glass
Satiny colorless glass.

Plat « CHARDONS »
Verre incolore gravé et émaillé noir.

"THISTLES" plate
Etched and black enamelled colorless glass.

Plat « PIVOINES »
Verre incolore gravé et émaillé noir.

"PEONIES" plate
Etched and enamelled colorless glass.

Plat « PIGEONS »
Verre incolore gravé et émaillé noir

"PIGEONS" plate
Etched and black enamelled colorless glass.

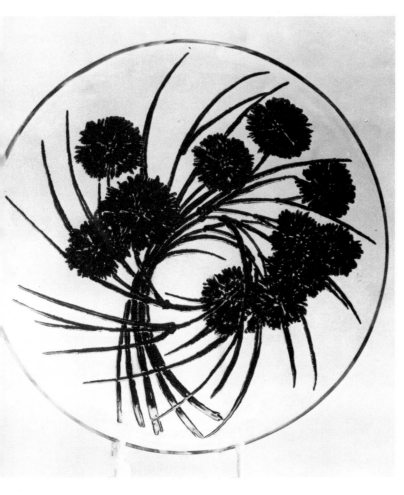

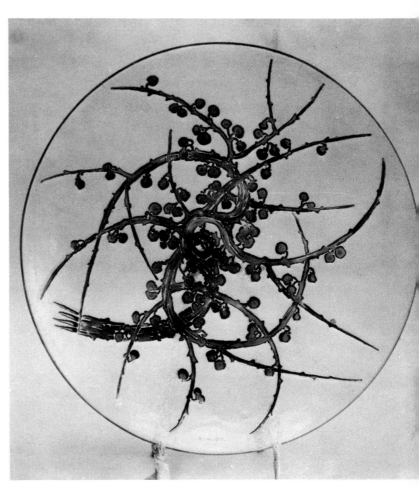

Plat « OEILLETS »
Verre incolore gravé et émaillé noir.

"CARNATIONS" plate
Etched and black enamelled glass.

Plat « EGLANTINE »
Verre incolore gravé et émaillé noir.

"DOG ROSE" plate
Etched and black enamelled colorless glass.

Statuette moyenne voilée
Verre incolore satiné.

Veiled statuette
Satiny colorless glass.

Statuette nue
Verre incolore satiné.

Nude statuette
Satiny colorless glass.

« THAIS ». Femme drapée
Cristal opale.

"THAIS". Draped woman
Opalescent crystal.

Lampadaire « ANEMONES »
Verre incolore satiné et émaillé noir.

"ANEMONES" candelabrum
Satiny and black enamelled colorless glass.

Lampe « PAONS »
Monture bronze. Verre gravé. Environ 1920.

"PEACOCKS" lamp
Brass mount. Etched glass. Circa 1920.

Presse-papier « 2 AIGLES »
Verre fumé satiné.

"DOUBLE EAGLE" paperweight
Satiny smoked glass.

Surtout « 3 Paons »
Socle bronze. Verre incolore. Motif satiné.

"3 Peacocks" centerpiece
Bronze base. Colorless glass.
Satiny pattern.

3 cires perdues. Pendules. 1920

3 lost-wax sculptures. Clocks. 1920

Pendulette « NAIADES »
Cristal opale.

"NAIADS" clock
Opalescent crystal.

Vase cire perdue
Motif feuilles de rhubarbe.
Haut. 19 cm. Signé R. LALIQUE.

Lost-wax vase
Motif: rhubarb leaves.
Height 19 centimeters. Signed R. LALIQUE.

Vase « DAHLIAS »
Verre incolore satiné. Cœurs de fleurs émaillés noir.
Haut. 14 cm. Signé R. LALIQUE.

"DAHLIAS" vase
Satiny colorless glass. Black enamelled hearts.
Height 14 centimeters. Signed R. LALIQUE.

Flacon méplat figurines
Verre incolore patiné brun.
Haut. 36 cm. Signé R. LALIQUE.

Bottle with flat figurines
Brown patinated colorless glass.
Height 36 centimeters. Signed R. LALIQUE.

Carafe verre incolore
Décors de sirènes patine émaillée en gris.
Haut. 39 cm. Signé R. LALIQUE.

Colorless glass decanter
Gray enamelled patina siren design.
Height 39 centimeters. Signed R. LALIQUE.

Vase «FORMOSE»
Motif poissons. Cristal opale.
Existe également en rouge et fumé.
Haut. 18 cm. Signé R. LALIQUE.

"FORMOSA" vase
Fish motif. Opalescent crystal.
Also comes in red and smoked glass.
Height 18 centimeters. Signed R. LALIQUE.

Vase en verre noir
Décor frise d'aigles légèrement dépoli.
Haut. 30 cm. Signé R. LALIQUE.

Black glass vase
Slightly frosted eagle frieze design.
Height 30 centimeters. Signed R. LALIQUE.

Vase verre incolore satiné
Décor représentant du gui.
Haut. 17 cm. Signé R. LALIQUE.

Satiny colorless glass vase
Mistletoe pattern.
Height 17 centimeters. Signed R. LALIQUE.

Vase «TOURBILLONS»
Verre incolore, surface du tourbillon
émaillé noir.
Haut. 20 cm. Signé R. LALIQUE.

"WHIRLWINDS" vase
Colorless glass, black enamelled whirlwind
surface.
Height 20 centimeters. Signed R. LALIQUE.

188

Vase « 4 MASQUES »
Verre incolore satiné et patiné en brun.
Haut. 32 cm. Signé R. LALIQUE.

"4 MASKS" vase
Brown patinated and satiny colorless glass.
Height 32 centimeters. Signed R. LALIQUE.

Vase en verre incolore patiné émaillé
en gris bleu
Motif sauterelles.
Haut. 28 cm. Signé R. LALIQUE.

Bluish-gray enamelled patinated
colorless glass vase
Grasshoper motif.
Height 28 centimeters. Signed R. LALIQUE.

Vase « DRUIDES »
Motif qui existe également en cristal opale.
Haut. 19 cm. Signé R. LALIQUE.

"DRUIDES" vase
Pattern also comes in opalescent crystal.
Height 19 centimeters. Signed R. LALIQUE.

Vase « BORDURES D'ÉPINES »
Verre brillant et patiné émaillé.
Haut. 20 cm. Signé R. LALIQUE.

"THORN BORDER" vase
Shiny and enamelled patinated glass.
Height 20 centimeters. Signed R. LALIQUE.

Vase frise aigle
Cristal opale vert
motifs d'aigles sur la base feuillages gravés.
Haut. 30 cm. Signé R. LALIQUE.

Eagle frieze vase
Green opalescent crystal.
Eagle pattern on etched foliage ground.
Height 30 centimeters. Signed R. LALIQUE.

Boîte cristal opale
Décor de poissons sur le couvercle.
Diam. 25 cm. Signé R. LALIQUE.

Opalescent cristal box
Fish pattern on the lid.
Diameter: 15 centimeters.
Signed R. LALIQUE.

Calice
Motif aiguilles et pommes de pins
argent et verre.
Haut. 20 cm. Signé LALIQUE.

Chalice
Pine needle and cone pattern, silver and glass.
Height 20 centimeters. Signed LALIQUE.

Aiguière argent émaillé brun
Personnages en ivoire sculpté.
Haut. 33 cm. Signé LALIQUE.

Brown enamelled silver aiguiere
Carved ivory figures.
Height 33 centimeters. Signed LALIQUE.

Statuette dite « la grande nue
aux longs cheveux »
(Socle bois). Verre incolore satiné.
Haut. 41 cm. Signé R. LALIQUE.

Statuette "Tall Nude with long hair"
(Wooden base). Satiny colorless glass.
Height 41 centimeters. Signed R. LALIQUE.

Statuette de femme
Cire perdue. Motif de fontaine exécuté en 1910.
Haut. 44 cm. Signé R. LALIQUE.

Statuette of a woman
Lost wax.
Motif of fountain executed circa 1910.
Height 44 centimeters. Signed R. LALIQUE.

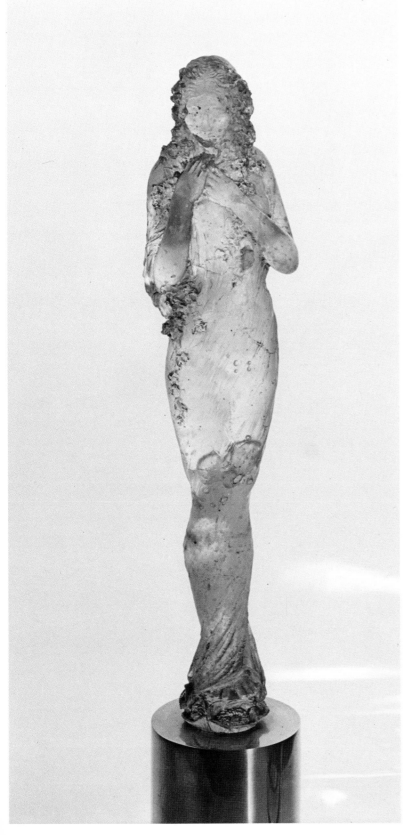

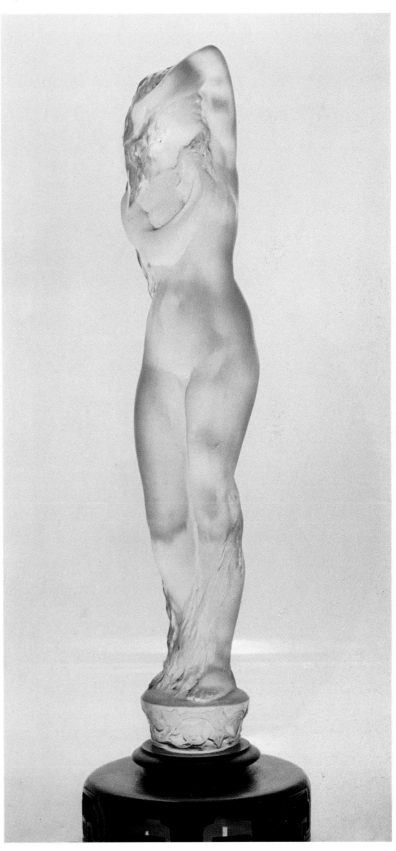

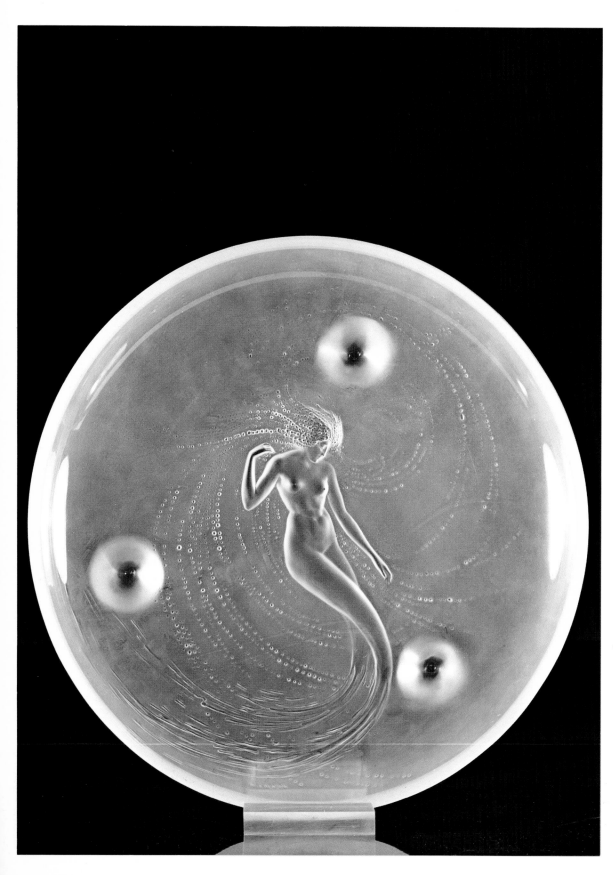

Coupe motif Sirène
Cristal opale.
Diam. 36 cm. Signé R. LALIQUE.

Siren pattern bowl
Opalescent crystal.
Height 36 centimeters. Signed R. LALIQUE.

Vase « CLUNY »
Motif deux masques de méduses.
Verre fumé et bronze.
Haut. 26 cm. Signé R. LALIQUE.

"CLUNY" vase
With two Medusa masks. Smoked glass
and bronze.
Height 26 centimeters. Signed R. LALIQUE.

Pendule « Le jour et la nuit »
Verre bleuté (existe aussi en fumé).
Motif : un homme et une femme.
Diam. 37 cm. Signé R. LALIQUE.

"Day and Night" clock
Bluish glass (also comes in smoked glass).
Motif: man and woman. Diameter:
37 centimeters. Signed R. LALIQUE.

Pendulette motif cinq hirondelles
Verre incolore motifs hirondelles
émaillées bleu nuit.
Haut. 15 cm. Signé R. LALIQUE.

Small clock with five swallows
Colorless glass. Swallows in midnight
blue enamel.
Height 15 centimeters. Signed R. LALIQUE.

Miroir rond motif épines
Verre incolore satiné et argent.
Diam. 43 cm. Signé R. LALIQUE.

Round mirror thorn pattern
Satiny colorless glass and silver.
Diameter 43 centimeters. Signed
R. LALIQUE.

Vase « LANGUEDOC »
Verre vert ou opale. Existe aussi en rouge.
Haut. 22 cm. Signé R. LALIQUE.

"LANGUEDOC" vase
Green or opalescent glass. Or red.
Height 22 centimeters. Signed R. LALIQUE.

Flacon « DAHLIA »
Cristal translucide satiné et repoli.
Cœur émaillé noir. Flacon crée par
R. LALIQUE et repris par Marc LALIQUE.

"DAHLIA" bottle
Satiny burnished translucent crystal.
Black enamel heart.
Bottle designed by R. LALIQUE.
and revived by Marc LALIQUE.

Broc « JAFFA » et gobelet
Cristal translucide satiné et repoli.
Haut. broc 22 cm. Gobelet 12 cm.
Signé LALIQUE. Création R. LALIQUE
reprise par Marc LALIQUE.

"JAFFA" pitcher and glass
Satiny burnished translucent crystal.
Height: pitcher 22 centimeters.
Glass: 12 centimeters. Signed R. LALIQUE.
R. LALIQUE design revived by
Marc LALIQUE

« MASQUE »
Visage de femme entouré de poissons.
Haut. 31 cm. Signé LALIQUE.

"MASK"
Woman's face framed with fish.
Height: 31 centimeters. Signed LALIQUE.

Miroir à main motif hirondelles
*Créé pour la princesse Victoria de Bade,
épouse du roi de Suède. Vers 1924.
Verre incolore satiné et argent.
Haut. 30 cm.*

Swallow-pattern hand mirror
*Designed for Princess Victoria of Baden,
wife of the King of Sweden. Circa 1924.
Satiny colorless glass and silver.
Height: 30 centimeters.*

Portrait de Madame R. LALIQUE
Cire perdue en bronze.
Haut. 29 cm. Signé LALIQUE.

Portrait of Mrs R. LALIQUE
Lost-wax bronze.
Height 29 centimeters. Signed LALIQUE.

Calice
*Motif aiguilles et pommes de pins
argent et verre.
Haut. 20 cm. Signé LALIQUE.*

Chalice
*Pine needle and cone pattern silver and glass.
Height 20 centimeters. Signed LALIQUE.*

Sculpture cire perdue en cristal
12 cm × 16 cm.

Lost-wax crystal sculpture
12×16 centimeters.

LES VICTOIRES

Bouchons de radiateur
Verre incolore brillant ou satiné.
Signé R. LALIQUE.

Radiator caps
Shiny or satiny colorless glass.
Signed R. LALIQUE.

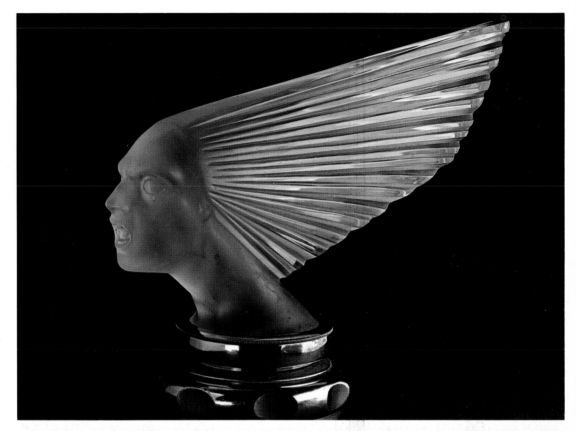

Bouchon de radiateur appelé « Victoire »
Verre incolore satiné.
Long. 25 cm. Signé R. LALIQUE.

"Victory" radiator cap
Satiny colorless glass.
Length 25 centimeters. Signed R. LALIQUE.

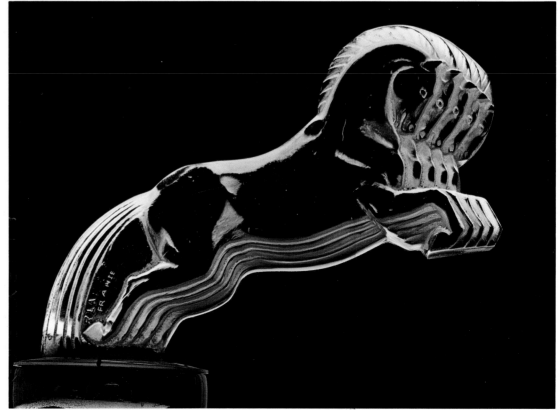

Bouchon de radiateur créé pour la 5 CV
Citroën
Verre incolore.
Long. 15 cm. Haut. 12 cm.
Signé R. LALIQUE. Vers 1925.

Radiator cap designed for the Citroën
5 CV
Colorless glass.
Length 15 centimeters. Height 12 centimeters;
Signed R. LALIQUE. Circa 1925.

FLACONS DE PARFUMS

Flacon « GRACE D'ORSAY » pour Orsay.
Verre incolore taillé et patiné, émaillé
en brun.
Haut. 13 cm. Signé R. LALIQUE.

"GRACE D'ORSAY" bottle for Orsay
Colorless patinated cut glass. Brown
enamelled.
Height 13 centimeters. Signed LALIQUE.

Flacon verre incolore dépoli
et verre fumé
« La Perle Noire » pour Forvil
Exécuté vers 1928.
Haut. 11,5 cm. Signé R. LALIQUE.

Flask made of colorless frosted
glass and smoked glass
"The Black Pearl" made for Forvil
Circa 1928.
Height 11,5 centimeters. Signed R. LALIQUE.

Flacon verre incolore. Motif femmes
Haut. 13,5 cm.

Flask made of colorless glass.
Motif women
Height : 13,5 centimeters.

Flacon verre incolore satiné
Motif quatre nymphes. Bouchon deux nymphes.
Haut. 13 cm. Signé R. LALIQUE.

Satiny colorless glass bottle
Motif four nymphs. Stopper: two nymphs.
Height 13 centimeters. Signed R. LALIQUE.

Flacon verre incolore satiné
Motif femme. Exécuté pour Roger et Gallet.
vers 1920. Haut. 12 cm.

Satiny colorless glass bottle
Motif: woman. Designed for Roger et Gallet
circa 1920. Height: 12 centimeters.

Flacon verre incolore
Motif œillet. Le parfum se loge dans le motif.
Exemplaire unique.
Haut. 10 cm. Signé R. LALIQUE.

Colorless glass bottle
Carnation motif containing the perfume.
Single copy.
Height 10 centimeters. Signed R. LALIQUE.

Flacon verre incolore satiné
Motif tête de poisson à chaque angle.
Haut. 11 cm. Signé R. LALIQUE.

Satiny colorless glass bottle
Fishhead motif at each corner.
Height: 11 centimeters. Signed R. LALIQUE.

Flacon verre incolore
Bouchon motif 4 abeilles.
Verre patiné brun. Haut. 11 cm.

Colorless glass bottle
Stopper motif: 4 bees.
Brown patinated glass. Height 11 centimeters.

Flacon de parfum verre noir
Haut. 9,5 cm. Signé R. LALIQUE.

Black glass perfume bottle
Height 9,5 centimeters. Signed R. LALIQUE.

Flacon de parfum verre ambre
Haut. 6 cm.

Amber glass perfume bottle
Height 6 centimeters.

Flacon de parfum verre incolore
et vert patiné par endroits
*Motif 2 médaillons portrait de femme
au centre.
Haut. 10 cm.*

**Colorless and patinated green perfume
bottle**
*Motif: 2 médaillons with center portrait
of a woman.
Height: 10 centimeters.*

Flacon carré verre incolore
Entrelacs.
Haut. 12 cm. Signé R. LALIQUE.

Square colorless glass
Tracery.
Height 12 centimeters. Signed R. LALIQUE.

Flacon verre incolore
Motif lézards.
Haut. 10 cm.

Colorless glass bottle
Lizards motif.
Height 10 centimeters.

Flacon verre incolore satiné
Motif quatre faunes.
Haut. 12 cm.

Satiny colorless glass bottle
Motif four fauns.
Height 12 centimeters.

Garniture de toilette « ÉPINES »
Verre incolore patiné couleur mauve.
Haut. 9 cm - 11 cm - 12 cm.
Signé R. LALIQUE.

"THORNS" Toilet set
Mauve patinated colorless glass.
Height : 2, 11, 12 centimeters.
Signed R. LALIQUE.

Flacon verre vert
Existe aussi en incolore.
Haut. 8 cm. Signé R. LALIQUE.

Green or colorless glass bottle
Height 8 centimeters. Signed R. LALIQUE.

Flacon verre vert
Motif coquillage. Bouchon motif femme.
Existe aussi en blanc.
Haut. 10 cm.

Green glass bottle
Shell pattern. Woman motif stopper.
Also comes in white.
Height: 10 centimeters.

Flacon verre incolore satiné
Grand bouchon motif femme.
Haut. 12 cm. Signé R. LALIQUE.

Satiny colorless glass bottle
Large stopper with woman motif.
Height 12 centimeters. Signed R. LALIQUE.

Flacon verre incolore satiné
Haut. 5 cm. Diam. 8 cm.

Satiny colorless glass bottle
Height: 5 centimeters.
Diameter 8 centimeters.

Flacon verre incolore satiné
Grand bouchon éventail, motif fleurs.
Haut. 12 cm.

Satiny colorless glass bottle
Large fan stopper with flower pattern.
Height 12 centimeters.

Flacon verre incolore
Décor émaillé gris.
Motifs de scarabées (capricornes).
Haut. 8 cm. Signé R. LALIQUE.

Colorless glass bottle
Gray enamelled design.
Capricorn beetle motif.
Height : 8 centimeters. Signed R. LALIQUE.

**Flacon « Ambre antique » créé
en 1910 pour Coty**
*En verre incolore satiné. Quatre figurines
de femmes légèrement en relief et patiné
en brun.*
Haut. 15 cm.

**"Antique Amber" bottle designed
for Coty in 1910**
*In satiny colorless glass. Four figurines
of women in slight relief and patinated
in brown.*
Height 15 centimeters.

Flacon de verre incolore
*Col et bouchon décor de masques antiques
patiné en fumé.*
Haut. 10 cm.

Colorless glass bottle
*Neck and stopper patterned with patinated
smoked-glass antique masks.*
Height 10 centimeters.

Boîte carrée
Verre satiné. Motif 2 figurines de femmes.
6 cm de côté.

Square box
Satiny glass. Motif: 2 figurines of women.
6 centimeters square.

Flacon « LUNARIA »
Motif monnaie du pape.
Verre incolore patine émaillée en brun.
Signé R. LALIQUE.

"Lunaria bottle"
Satin flower motif.
Colorless glass with brown enamelled patina.
Signed R. LALIQUE.

Flacon verre jaune
Motifs scarabées.
Haut. 9 cm. Signé R. LALIQUE.

Yellow glass bottle
Scarabs motif.
Height 9 centimeters. Signed R. LALIQUE.

Flacon verre bleuté
Bouchon motif abeille. « Le cœur
des calices » créé pour Coty en 1912.
Haut. 7 cm.

Bluish glass bottle
Bee stopper. "Calix heart"
designed for Coty in 1912.
Height: 7 centimeters.

Flacon verre incolore satiné
Motif papillons sur le bouchon.
Haut. 6,5 cm.

Satiny colorless glass bottle
Butterfly stopper. Height 6,5 centimeters.

Flacon semis de fleurs créé pour ORSAY
Verre translucide patiné émaillé en brun.
Haut. 10 cm. Signé R. LALIQUE.

Flowered bottle designed for ORSAY
Patinated brown enamelled translucent glass.
Height 10 centimeters. Signed R. LALIQUE.

Flacon à bouchon trois guêpes
verre incolore satiné
Haut. 12 cm. Signé R. LALIQUE.

Satiny colorless glass bottle
with wasp stopper
Height 12 centimeters. Signed R. LALIQUE.

« L'EFFLEURT » premier flacon créé
pour Coty en 1910
*Flacon verre incolore. Motif et bouchon
patine émaillée en brun.
Haut. 11 cm. Signé R. LALIQUE.*

"L'EFFLEURT" first bottle designed
for Coty in 1910
*Colorless glass bottle. Brown-enamelled
patina motif and stopper.
Height 11 centimeters. Signed R. LALIQUE.*

Flacon « CYCLAMEN » créé pour Coty
en 1913
*Verre incolore patiné émaillé en brun.
H. 14 cm. Signé R. LALIQUE.*

"CYCLAMEN" bottle designed for Coty
in 1913
*Brown enamelled patinated colorless glass.
Height 14 centimeters. Signed R. LALIQUE.*

Flacon verre incolore patiné vert pâle
Le bouchon représente une statuette de femme.
Haut. 10 cm. Signé R. LALIQUE.

Pale green patinated colorless glass bottle
The stopper is a statuette of a woman.
Height: 10 centimeters. Signed R. LALIQUE.

Flacon « ALTHEA »
Verre incolore patiné brun. Cœur émaillé brun.
Créé en 1918 pour Roger et Gallet.
Haut. 9 cm. Signé R. LALIQUE.

"ALTHEA" bottle
Brown patinated colorless glass.
Brown enamelled heart.
Designed in 1918 for Roger et Gallet.
Height 9 centimeters. Signed R. LALIQUE.

Flacon « LUNARIA »
Décor représentant de la monnaie du pape.
Verre incolore patine émaillée en brun.
Haut. 8 cm. Signé R. LALIQUE.

"LUNARIA" bottle
Satin flower pattern.
Colorless glass with brown enamelled patina.
Height 8 centimeters. Signed R. LALIQUE.

Flacon verre incolore et dépoli
Bouchon motif fleurs de pommier.
Haut. 14 cm. Signé R. LALIQUE.

Colorless frosted glass bottle
Apple blossom stopper.
Height 14 centimeters. Signed R. LALIQUE.

Flacon carré, motif papillons
*Verre incolore légèrement patiné,
bleu à certains endroits.
Haut. 10 cm.*

Squarre bottle, butterfly motif
*Colorless glass with blue spots,
slightly patinated.
Height: 10 centimeters.*

**Flacon verre incolore
avec frise patinée bleue**
Haut. 12 cm.

**Colorless glass bottle
with bleue patinated frieze**
Height: 12 centimeters.

**Flacon verre incolore,
patine émail rouge**
*Motif pavot. Bouchon verre noir.
Haut. 7 cm. Signé R. LALIQUE.*

**Colorless glass bottle,
red enamel patina**
*Poppy motif. Black glass stopper.
Height 7 centimeters. Signed R. LALIQUE.*

Flacon verre incolore
Grand bouchon représentant deux églantines.
Haut. 10 cm. Signé R. LALIQUE
sur le bouchon.

Colorless glass bottle
Large stopper representing two dog-roses.
Height 10 centimeters. Signed R. LALIQUE
on the stopper.

Flacon « LEURS AMES » créé
pour d'Orsay
Verre incolore. Grand bouchon représentant
deux femmes.
Haut. 13 cm. Signé R. LALIQUE.

"THEIR SOULS" bottle designed
for Orsay
Large stopper representing two women.
Height 13 centimeters. Signed R. LALIQUE.

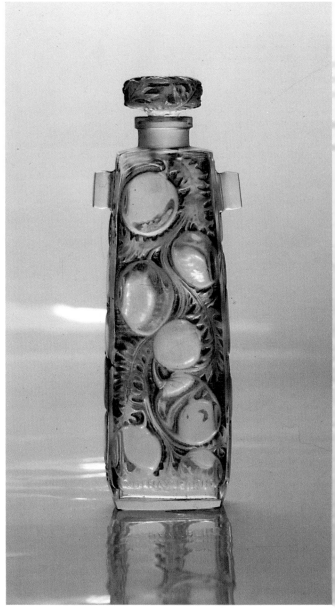

Flacon verre incolore
Le bouchon représente une statuette de femme.
Haut. 10 cm. Exceptionnellement
signé LALIQUE.

Colorless glass bottle
The stopper is a statuette of a woman.
Height 10 centimeters. Exceptionnally
signed LALIQUE.

Flacon verre incolore patine émaillée
en brun
Haut. 10 cm. Signé R. LALIQUE.

Colorless glass bottle with
brown-enamelled patina
Height 10 centimeters. Signed R. LALIQUE.

Flacon verre incolore patine émaillée
en gris. Créé pour VOLNAY en 1920
Haut. 23 cm. Signé R. LALIQUE.

Colorless glass bottle with grey
enamelled patina. Designed for
VOLNAY in 1920
Height 23 centimeters. Signed R. LALIQUE.

Gobelet verre incolore
Décor représentant une sirène émaillée en vert.
Haut. 15 cm. Signé R. LALIQUE.

Colorless glass tumbler
With green enamelled siren motif.
Height 15 centimeters. Signed R. LALIQUE.

Flacon verre incolore patiné brun rosé
Motifs chardons.
Haut. 12 cm. Signé R. LALIQUE.

Pinkish brown patinated colorless glass
Thistle motif.
Height 12 centimeters. Signed R. LALIQUE.

Flacons « FILLE D'ÈVE »
Haut. 13 cm.
Flacons « CŒUR JOIE »
Haut. 15 cm.
Flacons « AIR DU TEMPS »
Haut. 31 cm.
Créations Marc LALIQUE pour RICCI.
Cristal translucide décor satiné.
Signé LALIQUE.

Bottles "FILLE d'EVE"
Height 13 centimeters.
Bottles "CŒUR JOIE"
Height 15 centimeters.
Bottles "AIR DU TEMPS"
Height 31 centimeters.
Marc LALIQUE designs for RICCI.
Translucent crystal with satiny pattern.
Signed LALIQUE.

« FAROUCHE »
Flacon cristal translucide brillant et satiné
repoli créé par Marc LALIQUE pour RICCI.
Haut. 13 cm. Signé LALIQUE.

"FAROUCHE"
Translucent shiny and burnished satin-
finish crystal bottle designed by Marc LALIQUE
for RICCI.
Height 13 centimeters. Signed LALIQUE.

MARC LALIQUE

Marc LALIQUE
born in Paris, on September 1, 1900

A la mort de René Lalique, son fils Marc, alors âgé de 45 ans, qui avait été son collaborateur depuis vingt-trois années et l'avait aidé dans la direction de l'usine de Combs-la-Ville comme dans celle de Wingen-sur-Moder par la suite, put reprendre possession de cette dernière en 1945.

La remise en état des lieux et de l'équipement gravement endommagés par la guerre fut lente et progressive. Regroupement et entraînement du personnel, réinstallation de fours modernes, furent l'objet des soins les plus attentifs de Marc Lalique qui, animé comme son père le fut par l'amour de son métier, se consacra inlassablement à cette tâche ardue.

En 1951, à l'exposition de l'Art du Verre, la cristallerie Lalique avait, grâce à lui, repris sa place parmi les grandes cristalleries françaises et étrangères par des œuvres dignes de sa réputation. La pièce de choc créée par Marc Lalique pour cette exposition était un lustre monumental destiné à l'éclairage de la partie principale (voir reproduction page 141). Œuvre hardie, puissante, aux proportions équilibrées, elle a longtemps orné l'entrée du Musée des Arts Décoratifs.

Maître accompli dans l'art du verre qu'il connaît dans ses moindres détails techniques, depuis les mélanges servant de base à la fabrication jusqu'aux opérations ultimes de parachèvement, Marc Lalique est aussi un créateur doué d'une rare faculté de renouvellement. La possession de toutes ces qualités font qu'à tous les stades aucune subtilité ne lui échappe.

Un tel Maître ne pouvait former, pour transmettre son message artistique, qu'une équipe de valeur, laquelle initiée sur place à tous les raffinements des différents stades d'une technique particulière à la marque, se distingue par sa rare connaissance et, comme Marc Lalique lui-même, par un amour total du beau métier de verrier.

Marc LALIQUE

né à Paris le 1er septembre 1900

When Rene Lalique died, his son Marc then 45, who had collaborated with him for 23 years and had helped him in the management of the Combs-la-Ville glass factory as in the Wingen-sur-Moder one later, was able to take it up again after the liberation in 1945.

The reconstruction and reinstallation of the place, severely damaged during World War II, has been gradually and slowly accomplished. The gathering and training of the staff, the establishing of modern furnaces, all was done under the attentive care of Marc Lalique who, animated as was his father by the love of his craft, devoted himself entirely to this strenuous task.

In 1951, at the Glass Art Exhibit held in Paris, thanks to him, Lalique had restored its rank among the most renowned french and foreign crystal firms through various works worthy of its reputation. A striking monumental crystal chandelier created by him for the main entrance of this exhibit rouse the greatest excitement among the visitors. For several years thereafter it has adorned the 'Musée des Arts Décoratifs' entrance.

An accomplished master in the art of glass making which he knows in the least technical details, from the mixing of the basic needed ingredients to the very last delicate final phases, Marc Lalique is also a creator endowed with a natural renewal ability. The possessing of all these qualities gives him an acute aptitude to follow all the various conditions of the making.

Such a master had to shape up a very special group of workers in order to be able to transmit through it his own artistic message. Initiated by him to the refinements of the various levels of a technic particular to the firm, this group has attained a full knowledge of all the angles and is motivated like Marc Lalique himself by its total devotion to the fine glass blower trade.

Flacon « DUNCAN »
Cristal translucide satiné et repoli.
Motif femmes au centre.
Haut. 20 cm. Signé LALIQUE.
Flacon créé par R. LALIQUE repris par
Marc LALIQUE. Bouchon transformé.

"DUNCAN" Flask
Satin-finish, polished crystal.
Central motif: women.
Height 20 centimeters. Signed LALIQUE.
Original design by René LALIQUE revived
by Marc LALIQUE with stopper of a
different design.

Motif cygne tête baissée
Cristal satiné et repoli.
Long. 35 cm.

Motif: swan with lowered head
Satin-finish and burnished crystal.
Length 35 centimeters.

Table « CACTUS »
Cristal translucide.
Haut. 70 cm. Diam. 1,40 m. Signé LALIQUE.

"CACTUS" table
Translucent crystal.
Height 70 centimeters, diameter 1,40 meter.
Signed LALIQUE.

Lustre « CHAMPS ÉLYSÉES »
Motif feuilles de platane.
Cristal translucide satiné et repoli.
Diam. 55 cm. Signé LALIQUE.

"CHAMPS ELYSEES" chandelier
Motif plane tree leaves translucent satin-finish,
polished crystal.
Diameter 55 centimeters. Signed LALIQUE.

Motif "TOURTERELLES"
*Cristal translucide et satiné avec ruban de
couleur dans le socle.
Haut. 20 cm et 21 cm. Signé LALIQUE.*

Motif: "TURTLE-DOVES"
*Translucent, satin-finish crystal with
colored base band.
Height 20 centimeters and 21 centimeters.
Signed LALIQUE.*

Motif « COQ »
Cristal translucide.
Haut. 45 cm. Signé LALIQUE.

"ROOSTER" motif
Translucent crystal.
Height 45 centimeters. Signed LALIQUE.

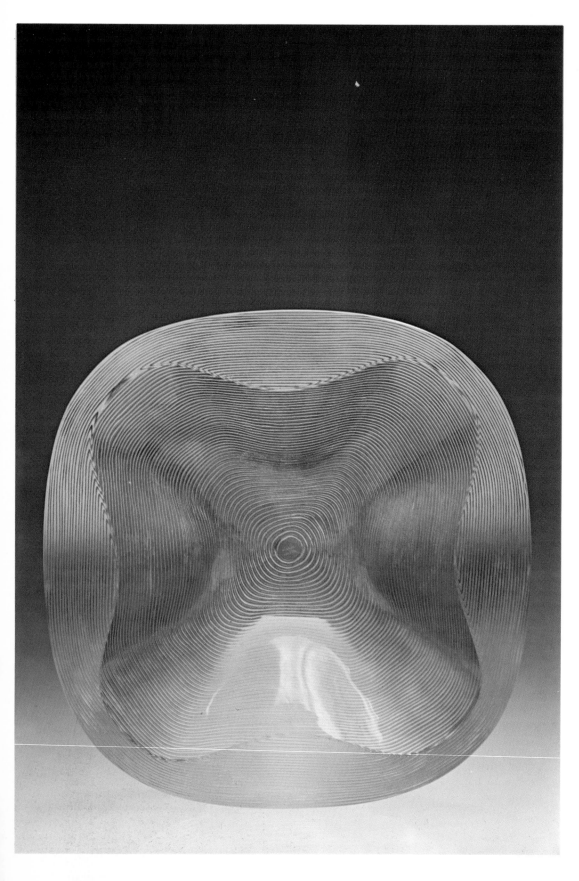

Coupe « STRÉSA »
Cristal satiné et repoli.
Diamètre 30 cm. Signé LALIQUE.

"STRÉSA" bowl
Satin-finish, polished crystal.
Diameter 30 centimeters. Signed LALIQUE.

Assiette « ALGUES NOIRES »
Cristal noir satiné et repoli.
Diam. 27,5 cm. Signé LALIQUE.

"BLACK ALGA" plate
Black satiny polished   crystal.
Diameter 27,5 centimeters. Signed LALIQUE.

Jardinière « HAITI »
*Cristal translucide avec décor de coquillages
en cristal bleu.
Diam. 33 cm. Signé LALIQUE.*

"HAITI" jardinière
*Translucent crystal with bleue crystal shell
inlay.
Diameter 33 centimeters. Signed LALIQUE.*

Vase « ANNECY »
Cristal translucide avec pied en cristal bleu.
Haut. 22 cm. Signé LALIQUE.

"ANNECY" vase
Translucent crystal with bleue crystal base.
Height 22 centimeters. Signed LALIQUE.

Motif « CERF »
Cristal satiné et repoli.
Haut. 25 cm. Signé LALIQUE.

Motif "STAG"
Satin-finish, polished crystal.
Height 25 centimeters. Signed LALIQUE.

Motif crapaud « GRÉGOIRE "
Cristal satiné et repoli.
Long. 10 cm. Signé LALIQUE.

Toad motif "GRÉGOIRE"
Satiny polished crystal.
Length 10 centimeters. Signed LALIQUE.

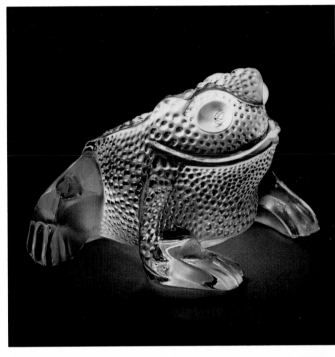

Jardinière « CHAMPS-ÉLYSÉES »
Cristal translucide satiné et repoli.
Long. 45 cm. Signé LALIQUE.

"CHAMPS-ÉLYSÉES" jardinière
Translucent satin-finish, polished crystal.
Length 45 centimeters. Signed LALIQUE.

Miroir « FLORIDE »
*Cristal translucide. Huit pastilles de cristal
de couleur entre les entrelacs.
Diam. 27 cm. Signé LALIQUE.*

"FLORIDA" mirror
*Translucent crystal. Eight colored crystal
lozenges involved in the tracery.
Diameter 27 centimeters. Signed LALIQUE.*

Flacon et boîte « FLORIDE »
Cristal translucide avec pastilles de cristal coloré.
Flacon : haut. 15 cm. Boîte : diam. 10 cm.
Signé LALIQUE.

"FLORIDA" bottle and box
Translucent crystal with colored cristal lozenges.
Bottle : height 15 centimeters.
Box : diameter 10 centimeters.
Signed LALIQUE.

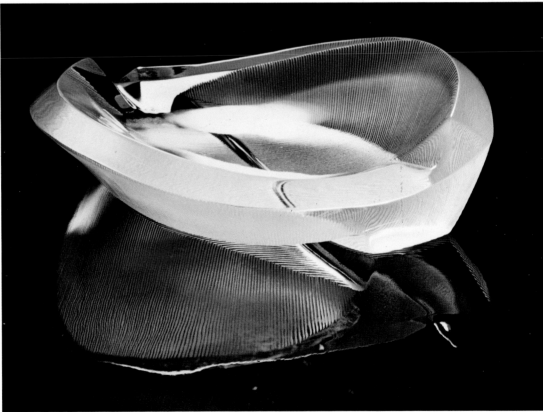

Cendrier « PHILIPPINES »
Cristal translucide gravé.
Long. 19 cm. Signé LALIQUE.

"PHILIPPINES" ashtray
Etched translucent crystal.
Length 19 centimeters. Signed LALIQUE.

Coupe « CABRERA »
*Cristal translucide avec pastilles en cristal
bleu dégradé.
Diam. 17 cm. Signé LALIQUE.*

"CABRERA" bowl
*Translucent crystal with shaded off blue
cristal lozenges.
Diameter 17 centimeters. Signed LALIQUE.*

Assiette « CAP FERRAT »
Cristal translucide et bleu saphir.
Diam. 20 cm. Signé LALIQUE.

"CAP FERRAT" plate
Translucent and sapphire blue crystal.
Diameter 20 centimeters. Signed LALIQUE.

Vase « EVEREST »
Cristal translucide.
Haut. 30 cm. Signé LALIQUE.

"EVEREST" vase
Translucent crystal.
Height 30 centimeters. Signed LALIQUE.

Vase « NARCISSE »
Cristal satiné et repoli avec parties taillées.
Haut. 26 cm. Signé LALIQUE.

"NARCISSUS" vase
Satiny burnished crystal with cut-work.
Height 26 centimeters. Signed LALIQUE.

Vase « MORTEFONTAINE »
*Cristal brillant satiné et repoli avec
parties gravées.
Haut. 23 cm. Signé LALIQUE.*

"MORTEFONTAINE" vase
*Shiny satiny polished crystal with etching.
Height 23 centimeters. Signed LALIQUE.*

Vase « YASNA »
Cristal satiné repris à la gravure et repoli.
Haut. 20 cm. Signé LALIQUE.

"YASNA" vase
Stained, etched and polished crystal.
Height 20 centimeters. Signed LALIQUE.

Vase « LUGANO »
Cristal satiné. Haut. 12 cm.

"LUGANO" vase
Satiny crystal. Height 12 centimeters.

Vase « INGRID »
Cristal satiné et repoli.
Haut. 26 cm. Signé LALIQUE.

"INGRID" vase
Satiny burnished crystal.
Height 26 centimeters. Signed LALIQUE.

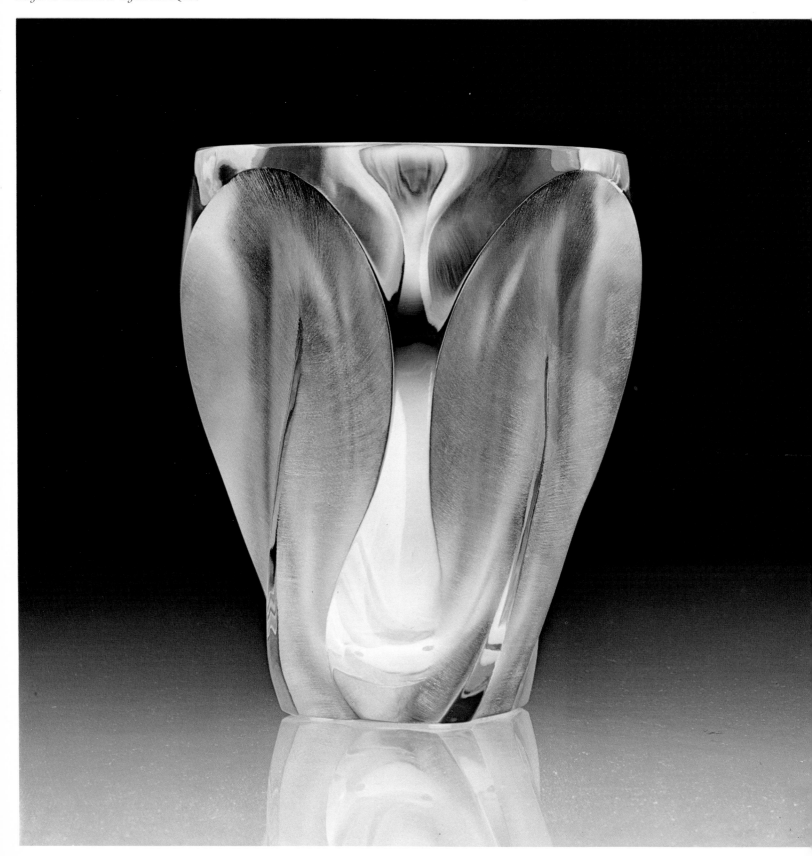

Vase·« CONSTANCE »
*Cristal translucide motif 2 anémones satiné
et repoli. Cœur émaillé noir.
Haut. 18 cm. Signé LALIQUE.*

"CONSTANCE" vase
*Translucent crystal, motif 2 anemones,
satin-finish and polished Black enamelled
heart.
Height 18 centimeters. Signed LALIQUE.*

Motif « ANÉMONE » ouverte
*Cristal translucide satiné et repoli.
Cœur émaillé noir.
Diam. 10 cm. Signé LALIQUE.*

Open "ANEMONE" motif
*Translucent satiny polished crystal.
Black enamelled heart.
Diameter 10 centimeters. Signed LALIQUE.*

Service « RAMBOUILLET »
Cristal translucide brillant pied taillé.
Haut. carafe : 12 cm. Signé LALIQUE.

"RAMBOUILLET" dinner service
Shiny translucent crystal, cut base.
Decanter height 12 centimeters.
Signed LALIQUE.

Verre à champagne
« LE SOURIRE DE REIMS »
Cristal translucide satiné repoli et gravé.
Haut. 20 cm. Signé LALIQUE.

"LE SOURIRE DE REIMS"
champagne goblet
Satiny, burnished, etched, translucent crystal.
Height 20 centimeters. Signed LALIQUE.

Verre à champagne
« LE SOURIRE DE REIMS »
Cristal translucide satiné repoli et gravé.
Haut. 20 cm. Signé LALIQUE.

Carafe et deux verres du service
« HIGHLANDS »
Cristal translucide. Carafe : haut. 27 cm.

"HIGHLANDS" decanter with 2 gobelets
Translucent crystal.
Decanter height 27 centimeters.

Broc et verres du service
« CHENONCEAUX »
Cristal jambe taillé.
Broc : haut. 20 cm. Signé LALIQUE.

"CHENONCEAUX" pitcher and glasses
Crystal cut stem.
Pitcher height 20 centimeters.
Signed LALIQUE.

Carafe et trois verres du service
« TUILERIES »
Cristal taillé. Carafe : Haut. 31 cm.

"TUILERIES" decanter and three glasses
Cut glass. Decanter height 31 centimeters.

Carafe et deux verres du service
« ROXANE »
Cristal translucide. Motif satiné et repoli.
Carafe : haut. 32 cm. Signé LALIQUE.

"ROXANE" decanter and two glasses
Translucent crystal. Satiny burnished motif.
Decanter height : 32 centimeters.
Signed LALIQUE.

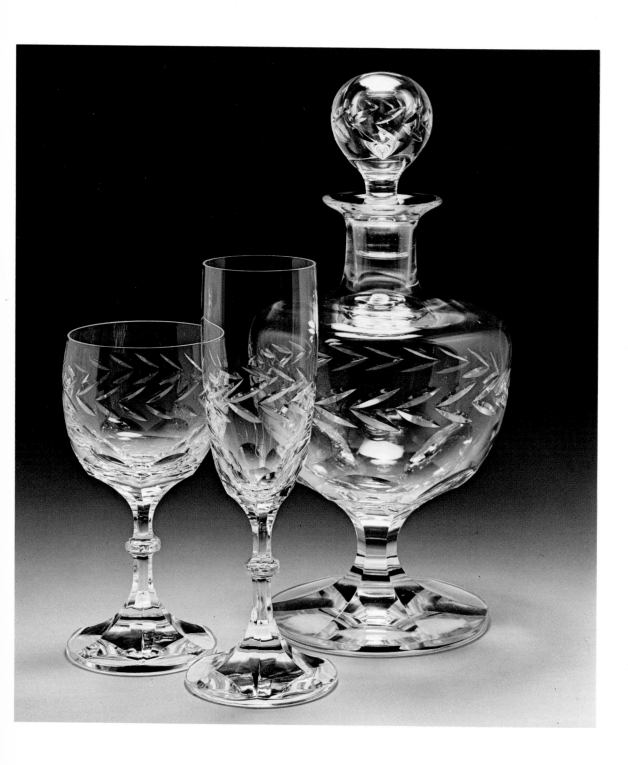

Service « BEAUHARNAIS »
Cristal taillé.
Carafe : haut. 28 cm. Signé LALIQUE.

"BEAUHARNAIS" service
Cut glass.
Decanter height : 28 centimeters.
Signed LALIQUE.

Carafe et verres du service
« MAJORQUE »
Cristal translucide.
Carafe : haut. 25 cm. Signé LALIQUE.

"MAJORCA" decanter and 2 glasses
Translucent crystal.
Decanter height: 25 centimeters.
Signed LALIQUE.

Carafe et 2 verres du service « BLOIS »
Cristal translucide.
Carafe : haut. 23 cm. Signé LALIQUE.

"BLOIS" decanter and 2 glasses
Translucent crystal.
Decanter height: 23 centimeters.
Signed LALIQUE.

Service « LANGEAIS »
Cristal translucide satiné et repoli.
Haut. du pichet 21 cm. Signé LALIQUE.

"LANGEAIS" service
Satiny burnished translucent crystal.
Pitcher height 21 centimeters.
Signed LALIQUE.

Carafe et verres « VILLANDRY »
Cristal translucide taillé.
Haut. de la carafe 32 cm.
Signés LALIQUE.

"VILLANDRY" decanter and glasses
Translucent cut crystal.
Decanter height 32 centimeters.
Signed LALIQUE.

Carafe et verre à dégustation
« CLOS-VOUGEOT »
Haut. de la carafe 29 cm.
Signés LALIQUE.

"**CLOS-VOUGEOT**" glass and decanter
Decanter height 29 centimeters.
Signed LALIQUE.

MARIE-CLAUDE LALIQUE

Vase « ANTINEA »
Cristal translucide. Motif femmes opaline jade.
Haut. 20 cm. Signé LALIQUE.

"ANTINEA"
Translucent crystal. Motif: opaline jade women.
Height 20 centimeters. Signed LALIQUE.

Marie-Claude LALIQUE
née à Paris le 19 avril 1935

La petite-fille et fille de ces deux grands artistes fut élevée dans le culte de la beauté et la passion du travail.

Alors qu'elle n'était qu'une enfant, son père lui dit : « Si un jour tu aimes ce métier, tu verras, tu ne pourras plus t'en passer. » Elle l'aima.

Et, tout naturellement, après avoir fait l'Ecole Nationale Supérieure des Arts Décoratifs de Paris, elle vint travailler aux côtés de son père.

Imprégnée des traditions de la maison, elle sait, tout en les conservant, donner une impulsion nouvelle à la création des modèles.

Elle se plaît, comme son grand-père, à des recherches parallèles, partant du principe qu'il est essentiel d'ouvrir son esprit à des créations différentes pour se renouveler.

Tout en restant fidèle au cristal, elle créa des bijoux, en pensant aussi qu'il est plus important de s'attacher à imaginer des formes recherchées, voire sophistiquées, plutôt que faire étalage de pierres de grande valeur.

Dans ce but, elle employa des pierres semi-précieuses et des émaux.

Imaginant alors que l'on pouvait jouer avec la couleur pour obtenir de nouveaux effets, elle eut envie de créer des objets raffinés, alliant l'éclat du cristal translucide au précieux des opalines ambres, bleues ou vertes, perpétuant ainsi l'esprit créateur de la maison tant dans la recherche artistique que dans une constante progression technique.

Marie-Claude LALIQUE
born in Paris on April 19, 1935

The grand-daughter and daughter of these two great artists was raised in the worshipping of beauty and a passion for work.

When she was only a child, her father said to her: "If, someday you happen to like our profession you will soon find out that you cannot give it up." She liked it.

And, after graduating from the "Ecole Nationale Supérieure des Arts Décoratifs de Paris", she naturally went to work with her father.

Impregnated with the family traditions, she knows, however preserving them, how to give a new impetus to design creations.

Like her grandfather, she is interested in comparative researches convinced that it is the opening of one's mind to all aspects of creation which leads the way to constant renewal.

From crystal, still her basic favourite theme, she proceeded to jewels with the strong belief that is is more important to elaborate even sophisticated designs than to make use of precious gems.

Along this line, she used semi-precious stones and enamels.

Then conceiving that color can be used to attain new effects, she yearned to create refined patterns combining the sparkle of translucent crystal with the preciousness of amber, blue or green opalines, thus perpetuating the firm's creative spirit, in both artistic research and steady technical progress.

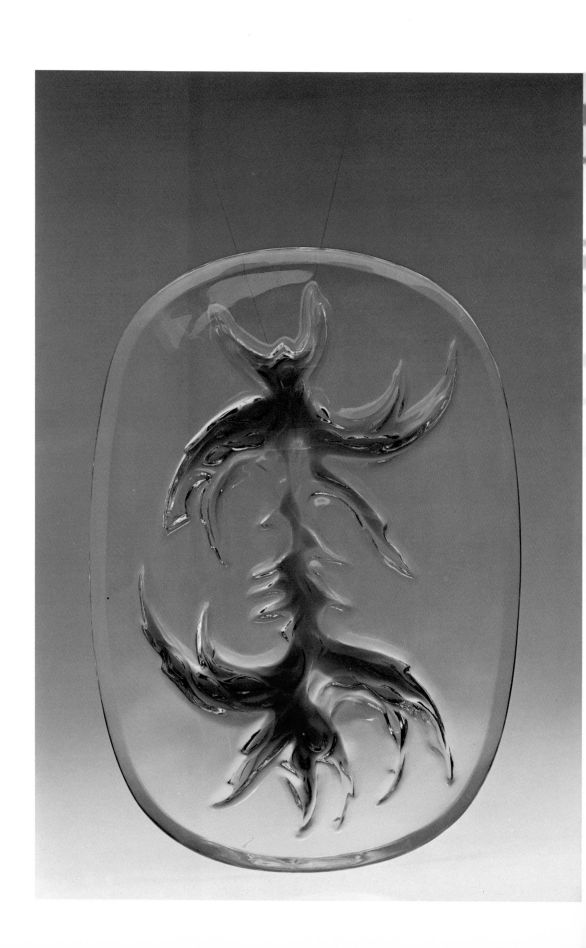

Plat « CARAIBES »
Cristal translucide. Motif cristal bleu.
Long. 42 cm. Signé LALIQUE.

"CARIBBEAN" plate
Translucent crystal. Blue crystal motif.
Length 42 centimeters. Signed LALIQUE.

Vase « SENLIS »
Cristal satiné, gravé et repoli.
Haut. 29 cm. Signé LALIQUE.

"SENLIS" vase
Satiny, etched, burnished crystal.
Height 29 centimeters. Signed LALIQUE.

Vase « CLAUDE »
Cristal satiné repoli et gravé.
Haut. 34 cm. Signé LALIQUE.

"CLAUDE" vase
Satiny, polished etched crystal.
Height 34 centimeters. Signed LALIQUE.

Flacons « CASSIOPEE »
Cristal translucide.
Haut. 19 et 22 cm. Signé LALIQUE.

"CASSIOPEIA" perfume bottles
Translucent crystal.
Height 19 and 22 centimeters.
Signed LALIQUE.

Motif « OURS »
Cristal satiné et repoli.
Haut. 15 cm. Signé LALIQUE.

"BEAR" motif
Satiny, burnished crystal.
Height 15 centimeters. Signed LALIQUE.

Motif hérisson « VALENTIN »
Cristal satiné et repoli.
Long. 13 cm. Signé LALIQUE.

"VALENTIN" porcupine motif
Satiny burnished crystal.
Length 13 centimeters. Signed LALIQUE.

Motif colombe « CHARIS »
Cristal satiné et repoli.
Haut. 26 cm. Signé LALIQUE.

"CHARIS" dove motif
Satiny, burnished crystal.
Height 26 centimeters. Signed LALIQUE.

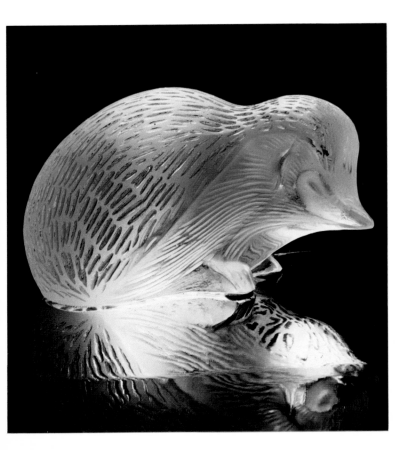

Carafe « ABERDEEN »
Cristal translucide.
Haut. 22 cm. Signé LALIQUE.

"ABERDEEN" decanter.
Translucent crystal.
Height 22 centimeters. Signed LALIQUE.

Coupe à caviar « IGOR »
Cristal translucide. Motif satiné et repoli.
Diam. 19 cm. Haut. 26 cm. Signé LALIQUE.

"IGOR" caviar bowl
Translucent crystal. Satiny polished motif.
Diameter: 19 centimeters.
Height: 26 centimeters. Signed LALIQUE.

Coupe « VIRGINIA »
Cristal translucide. Motif satiné et repoli.
Diam. 16 cm. Signé LALIQUE.

"VIRGINIA" bowl
Translucent crystal. Satiny, polished
motif.
Diameter 16 centimeters. Signed LALIQUE.

Coupe « SULLY »
Cristal translucide. Pied satiné et repoli.
Haut. 22 cm. Signé LALIQUE.

"SULLY" bowl
Translucent crystal. Satiny, polished base.
Height 22 centimeters. Signed LALIQUE.

Boîte « DAPHNÉ »
Cristal satiné et repoli.
Diam. 7 cm. Signé LALIQUE.

"DAPHNE" box
Satiny, burnished crystal.
Diameter 7 centimeters. Signed LALIQUE.

Seau isothermique « RHODES »
Cristal satiné et repoli.
Haut. 17 cm. Signé LALIQUE.

"RHODES" thermos bucket
Satiny burnished crystal.
Height 17 centimeters. Signed LALIQUE.

Cendrier « BRASILIA »
Cristal translucide. Motif cristal noir
satiné et repoli.
Long. 18 cm. Signé LALIQUE.

"BRASILIA" ashtray
Translucent crystal. Black satiny burnished
crystal motif.
Length 18 centimeters. Signed LALIQUE.

Confiturier « ELVIRE »
Cristal translucide satiné et repoli.
Haut. 17 cm. Signé LALIQUE.

"ELVIRE" candy dish
Translucent satiny burnished crystal.
Height 17 centimeters. Signed LALIQUE.

Vase « VIGNE »
Cristal translucide. Décor satiné gravé et repoli.
Haut. 25 cm. Signé LALIQUE.

"VINE" vase
Translucent crystal. Etched satiny, polished design.
Height 25 centimeters. Signed LALIQUE.

Vase « OSMONDE »
Cristal translucide. Décor satiné repoli et gravé.
Haut. 20 cm. Signé LALIQUE.

"OSMUND" vase
Translucent crystal. Etched, polished pattern.
Height 20 centimeters. Signed LALIQUE.

Vase « CHIRAZ »
Cristal translucide. Décor du pied satiné et repoli.
Haut. 28 cm. Signé LALIQUE.

"SHIRAZ" vase
Translucent crystal. Satiny polished base design.
Height 28 centimeters. Signed LALIQUE.

Coupe « ARIES »
Cristal translucide. Motif satiné et repoli.
Diam. 22 cm. Signé LALIQUE.

"ARIES" bowl
Translucent crystal. Satiny, burnished
motif.
Diameter 22 centimeters. Signed LALIQUE.

Jardinière « VENISE »
*Cristal translucide. Motif satiné et repoli.
Long. 21 cm. Signé LALIQUE.*

"VENICE" jardinière
*Translucent crystal. Satiny, burnished
motif.
Length 21 centimeters. Signed LALIQUE.*

Vase « BROCELIANDE »
*Cristal translucide. Motifs cristal satiné
et repoli.
Haut. 29 cm. Signé LALIQUE.*

"BROCELIANDE" vase
*Translucent crystal. Satiny burnished crystal
motifs.
Height 29 centimeters. Signed LALIQUE.*

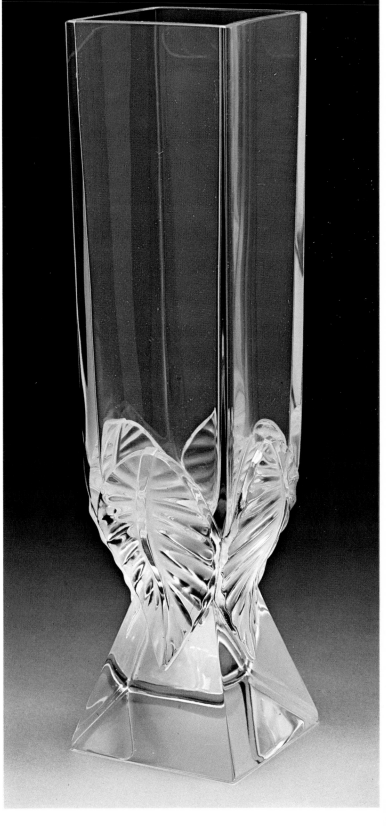

Carafe et 3 verres du service
« VALENÇAY »
Cristal translucide satiné et repoli.
Haut. de la carafe 25 cm. Signé LALIQUE.

"VALENÇAY" decanter and 3 glasses
Translucent satiny polished crystal.
Decanter height 25 centimeters.
Signed LALIQUE.

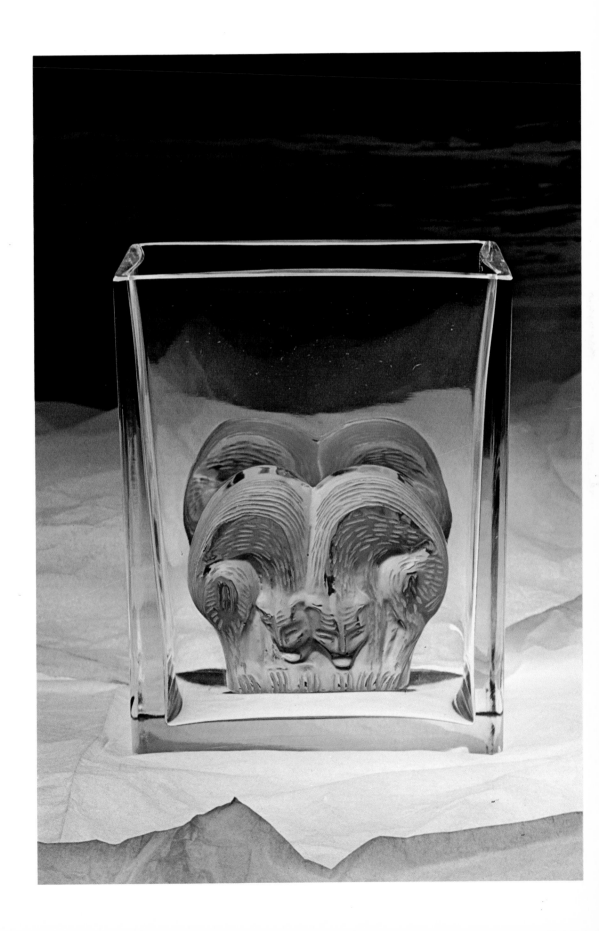

Vase « ASMARA »
*Cristal translucide. Motifs chats sauvages
en opaline jaune.
Haut. 18 cm. Signé LALIQUE.*

"ASMARA" vase
*Translucent crystal. Yellow opaline wildcats
motifs.
Height 18 centimeters. Signed LALIQUE.*

Coupe « PERSÉPOLIS »
*Cristal translucide. Motif géométrique
en opaline bleu pâle.
Diam. 28 cm. Signé LALIQUE.*

"PERSEPOLIS" bowl
*Translucent crystal. Pale blue opaline
geometric pattern.
Diameter 28 centimeters. Signed LALIQUE.*

Motif tortue « CAROLINE »
Cristal translucide pour le corps.
La carapace est en opaline écaille.
Long. 14 cm. Signé LALIQUE.

"CAROLINE" tortoise motif
Translucent crystal body. Opaline tortoiseshell.
Length 14 centimeters. Signed LALIQUE.

Vase « ATOSSA »
Cristal translucide. Motif fleurs en opaline
mauve.
Haut. 19 cm. Signé LALIQUE.

"ATOSSA" vase
Translucent crystal. Motif mauve opaline
flowers.
Height 19 centimeters. Signed LALIQUE.

Coupe « BAMAKO »
*Cristal translucide. Motif lézards en opaline
verte.*
Diam. 21 cm. Signé LALIQUE.

"BAMAKO" bowl
*Translucent crystal. Green opaline lizards
motif.*
Diameter 21 centimeters. Signed LALIQUE.

Vase « ROSE »
Cristal translucide. Motif Rose en opaline ambre.
Haut. 20 cm. Signé LALIQUE.

"ROSE" vase
Translucent crystal. Amber opaline Rose motif.
Height 20 centimeters. Signed LALIQUE.

Coupe « LIERRE »
*Cristal translucide. Motif lierre cristal vert
d'eau.*
Diam. 19 cm. Signé LALIQUE.

"IVY" bowl
*Translucent crystal. Sea green crystal ivy
motif.*
Diameter 19 centimeters. Signed LALIQUE.

Vase « BAGHEERA »
Cristal translucide. Pied satiné et repoli.
Haut. 21 cm. Signé LALIQUE.

"BAGHEERA" vase
Translucent crystal. Satiny, polished base.
Height 21 centimeters. Signed LALIQUE.

Coupe « YESO »
*Cristal translucide. Motif poisson, opaline
jade.
Diam. 23 cm. Signé LALIQUE.*

"YESO" bowl
*Translucent crystal. Fish motif, jade opaline.
Diameter 23 centimeters. Signed LALIQUE.*

Coupe « SERPENT »
Cristal translucide. Motif opaline ambre.
Diam. 18 cm. Signé LALIQUE.

"SERPENT" bowl
Translucent crystal. Amber opaline motif.
Diameter 18 centimeters. Signed LALIQUE.

298

Vase « SAGHIR »
Cristal translucide. Motif opaline verte.
Haut. 20 cm.

"SAGHIR" vase
Translucent crystal. Green opaline motif.
Height 20 centimeters.

Vase « CYRUS »
Cristal translucide. Motif cristal bleu.
Haut. 16 cm. Signé LALIQUE.

"CYRUS" vase
Translucent crystal. Blue crystal motif.
Height 16 cm. Signed LALIQUE.

Collier et bracelet « MARGUERITES »
Or, émaux.
Diamètre du collier 20 cm
Diamètre du bracelet 9 cm
Signé Marie-Claude LALIQUE.

"DAISY" necklace and bracelet
Gold, enamel.
Necklace diameter 20 centimeters.
Bracelet diameter 9 centimeters.
Signed Marie-Claude LALIQUE.

Chatelaine
Motif feuilles et baies. Or et tourmaline.
Long. 10 cm. Signé Marie-Claude LALIQUE.

Chatelaine
Motif leaves and berries. Gold and tourmaline.
Lenght 10 centimeters.
Signed Marie-Claude LALIQUE.

Bracelet articulé
Motif feuilles or.
Diam. 7 cm. Signé Marie-Claude LALIQUE.

Jointed bracelet
Motif gold leaves.
Diameter 7 centimeters.
Signed Marie-Claude LALIQUE.

Pendentif « CŒUR »
Or et rubis cabochons.
Long. 8 cm. Signé Marie-Claude LALIQUE.

"HEART" pendant
Gold and rubies cut cabochons.
Diameter 7 centimeters.
Signed Marie-Claude LALIQUE.

Broche « CHOUETTE »
Or, lapis lazuli, brillants.
Long. 9 cm.

"OWL" brooch
Gold, lapis lazuli, diamonds.
Length 9 centimeters.

LES BIJOUX
DE
MARIE-CLAUDE LALIQUE

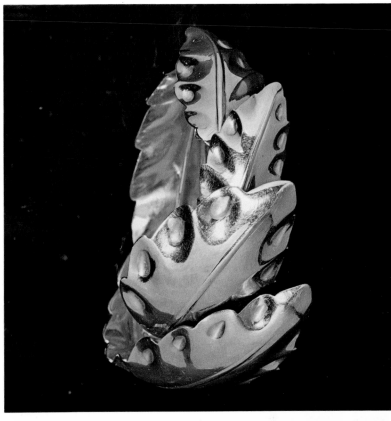

Collier « ALGUE »
Or.
Diam. 17 cm. Signé Marie-Claude LALIQUE.

"ALGA" necklace
Gold.
Diameter 17 centimeters.
Signed Marie-Claude LALIQUE.

Collier « FEUILLES DE LIERRE »
Or, émail et perles.
Diam. 19 cm. Signé Marie-Claude LALIQUE.

"IVY" leaf necklace
Gold, enamel and pearls.
Diameter 19 centimeters.
Signed Marie-Claude LALIQUE.

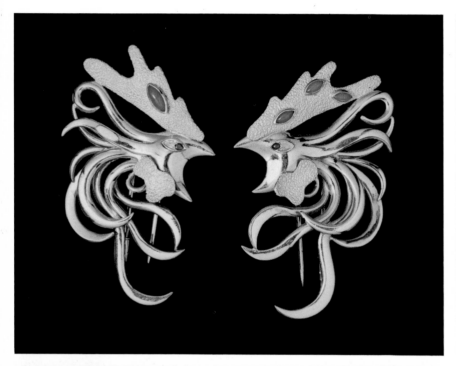

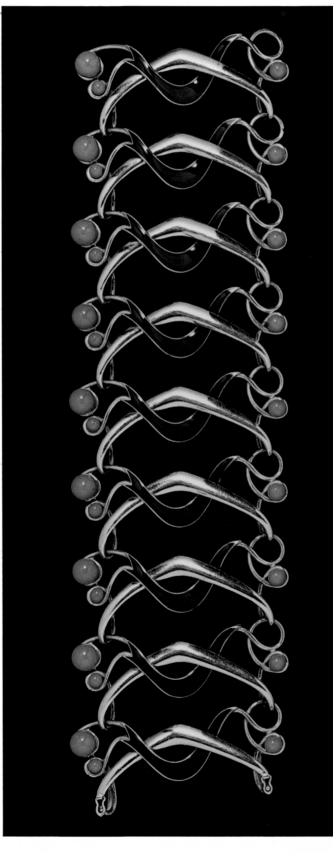

2 broches "COQS"
Or brillant et satiné, corail.
H : 6 cm.

2 brooches "ROOSTERS"
Both glossy and satiny gold with coral.
Hight : 6 cm.

Broche "FEUILLES"
Or jaune, or blanc, chrysoprases.
H : 7 cm.

Brooch "LEAVES"
Yellow gold, white gold, chrysoprases.
Hight : 7 cm.

Broche "MELUSINE"
Or, brillants, émeraudes, cabochons et navettes.
L : 10 cm.

Brooch "MELUSINE"
Gold, diamonds and emeralds - cabochons and
shuttle cut.
Lenght : 10 cm.

Bracelet "ENTRELACS"
Or, émail bleu, corail.
L : 19 cm

Bracelet "INTERLACINGS"
Gold, blue enamel and coral.
Lenght : 19 cm.

SIGNATURES

JOAILLERIE et ORFÈVRERIE
JEWELRY and SILVERWARE

LALIQUE 🔲

signature en lettres bâton
et poinçon de maître
signature and master stamp

VERRERIE et CRISTALLERIE
GLASSWARE and CRYSTALWARE

R. LALIQUE FRANCE

à la roue
at the wheel

R. LALIQUE
FRANCE

au sable
sand blasted

jusqu'en 1945
until 1945

R. Lalique France

à la roue
at the wheel

R. LALIQUE.FRANCE

à la roue
at the wheel

LALIQUE
FRANCE

au sable
sand blasted

de 1945 à 1960
from 1945 to 1960

LALIQUE FRANCE

à la roue
at the wheel

Lalique France.

à la roue
at the wheel

LALIQUE

à la roue
at the wheel

depuis 1960
since 1960

Lalique
France

à la pointe de tungstène
ou au diamant
*done with tungstene
or diamond point tool*

échelle et forme différente selon la grosseur de l'objet
scale and shape are different according to the size of the object

En 1928, les Œuvres de René LALIQUE se trouvaient dans les Musées suivants:
In 1928, the Rene LALIQUE'S Works could be seen in the following museums:

Musée du Luxembourg	Paris
Musée des Arts Décoratifs	Paris
Musée des Arts et Métiers	Paris
Musée Galliera	Paris
Musée des Arts Décoratifs	Lyon
Musée des Arts Décoratifs	Troyes
Musée des Arts Décoratifs	Gand
Museum of the Decorative Arts	Copenhagen
Musée des Arts Décoratifs	Genève
Musée Océanographique	Monaco
Röhsska Kunstslöjd-Museet	Gothenburg
Metropolitan Museum	New York
Victoria and Albert Museum	London
Museum of Rotterdam	
Museums of Stockholm, Oslo	
Museums of Hamburg, Berlin, Munich	
Museum of Leningrad	
Museums of Boston, San Francisco, Cincinnati, St Louis	
Museums of Chicago, Pittsburg, New Orleans	
Museum of Durban	
Museum of Tokyo	

308

Nous tenons à remercier :

Le Musée des Arts Décoratifs de Paris,
La Fondation C. GULBENKIAN,
Le Musée GALLIERA,
Monsieur R. LAFORET,
Monsieur F. MARCILLAC,
Madame L. NASSAU,
Monsieur M. PERINET,
Monsieur A. SURMAIN,
Monsieur et Madame Ch. Vane PERCY,

et toutes les personnes qui ont collaboré
à la réalisation de cet ouvrage.

We want to thank:

The Decorative Arts Museum of Paris,
The C. GULBENKIAN Foundation,
The Galliéra Museum,
Mr. R. LAFORET,
Mr. F. MARCILLAC,
Mrs. L. NASSAU,
Mr. M. PERINET,
Mr. A. SURMAIN,
Mr. and Mrs. Ch. Vane PERCY

and everyone who coöperated in this work.

TABLE DES MATIÈRES
SUMMARY

NOTES

DÉTAIL DES COLLECTIONS
g-gauche ; d-droite ; h-haut ; b-bas.

Collection Fondation Calouste Gulbenkian
pages 34, 35, 36, 37, 44, 45, 46, 48, 49, 54d, 55, 59, 61h, 207d.

Collection Musée des Arts Décoratifs de Paris
pages 43b, 56, 57, 66, 67, 68, 69, 70, 71, 72, 73, 74, 75, 76, 77, 180, 183, 185, 191, 219, 220, 229.

Collection Musée Galliéra
page 194g.

Collections particulières
pages 32, 33, 38, 39, 40, 41, 42, 43h, 47, 50, 51, 52, 53, 54g, 58, 60, 61b, 62, 63, 64, 65, 78, 79, 80, 81, 82 à 126, 156, 181, 182, 184, 186, 187, 188, 189, 190, 192, 193, 195 à 201, 204, 205, 206, 208, 209, 210, 212 à 218, 221 à 228, 230.

CRÉDIT PHOTOGRAPHIQUE
— les photos de la collection Calouste Gulbenkian ont été aimablement communiquées par la fondation
— pages 142-143 : photo SCHALL
— page 141 : photo DEBRETAGNE
— pages 128 à 140 et 160 à 179 : photos Archives LALIQUE
— Toutes les autres photos ont été réalisées par la Société Éditrice.

ERRATUM
Page 83 lire collection M.C. LALIQUE.

Achevé d'imprimer sur les presses
des Arti Grafiche GIORGI & GAMBI
a Florence le 25 Novembre 1976

De cet ouvrage ont été tirés
100 exemplaires hors commerce
numérotés et signés
Dépôt légal 1er trimestre 1977

Imprimé en Italie